Super Visual

すぐに使える英会話

Language Research Associates 編

菅谷とも子
Kay Husky（英文校閲・吹込）
Eric Kelso（吹込）

はじめに

　海外旅行をして誰もが感じることですが、現地の人とカタコトでもいいから、現地のコトバで話せたらどんなにすばらしいことでしょうか。旅の楽しみが倍増すること請け合いです。ちょっとコトバを交わしたことで、友情が芽生えたり、それがきっかけで見知らぬところを案内してもらったり、また、通り一遍の旅行では得られない経験ができたり、異常事態に出会った時も、なんとかなったり、、、

　カタコトでもいいから、短時間で話すようになる方法はないだろうか。そんな願いに応えるべく開発されたのがこの本です。この本の最大のポイントは、英語の構造を、日本語とビジュアルに対比することによって、お経のように、ただ暗記するのではなく、文の構造の輪郭が分かった上で練習をすることです。そのことによって、いままでとは違った、すばらしい学習効果が期待されるのです。

　いままでの学習法では、文の構造を理解するには、文法による解説が必要でした。しかし、はじめて外国語を学習する方の中には、文法と聞いただけで、拒絶反応を起こしてしまう人がいます。それを、このスーパー・ビジュアル法を使ってやれば、細かいことは、取り敢えず横に置いておいて、基本的なコトバの枠組みを、知ることができるのです。英語と日本語は、こんな風に違ってるのだ、ということが分かれば、後は構文と単語を体に覚えさせればいいわけです。

　本書が英語を少しでも速くものにしたいと思う多くの方々の、お役にたてれば幸いです。

「スーパー・ビジュアル」って、何？

　あなたは、トンパ文字を知っていますか。
　トンパ文字とは、中国の雲南省に住むナシ族の人たちが、いまから１０００年ぐらい前の宋の時代から、経典として書き留めてきたもので、祈祷や厄除け安全、葬式などに引き継がれてきたそうです。いまでは、一般には使われておりませんが、それでも観光土産物などとして、売られているそうです。かわいらしくて、なにかぬくもりがあって、デザイン的にも楽しいトンパ文字とはどんな言語なんでしょうか。

これを日本語に訳すと、

私はご飯を食べたい

となります。と、いわれても、これでだけでは、チンプンカンプンですよね。
　しかし、これを次ぎのように整理して視覚的に配列すると、どうでしょう。

```
   (1)      (2)      (3)     (4)
  私は  ＋ ご飯を ＋ 食べ ＋ たい
```

```
   (1)      (2)      (3)     (4)
   🧍  ＋   🫕   ＋  🧍  ＋  🌱
```

こうすると、なんとなく「🧍=私は」、「🥘=ご飯」、「🧍=食べる」「🌱=したい」を意味してるらしいことが分かります。
そこで、それをもう少し発展して次ぎのようにします。

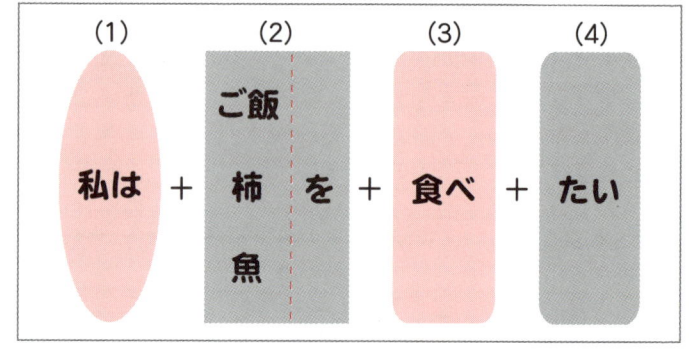

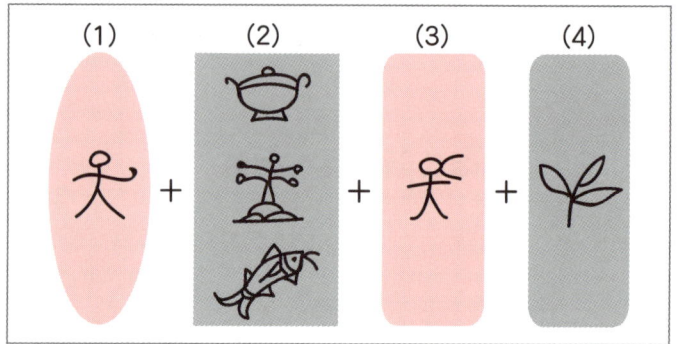

こうしてみると、トンパ語には（1）＋（2）＋（3）＋（4）という、基本構造があって、その構造は英語や中国語と違って日本語と似ていることが、分かります。次に、（2）の位置のコトバを入れ替えることによって、「私はご飯をたべたい。」「私は柿を食べたい。」「私は魚を食べたい。」という3つの文が成り立ってることも分かります。そこで、（2）に入るコトバを、この他にももっと増やせば、この表現は、単語の数だけ広がっていきます。

このように、日本語と外国語を、文の構造を図解して対比することによって、外国語の構造を理解するのが、**「スーパー・ビジュアル法」**です。

この方法だと、ややこしい文法の説明がなくても、何となく見てるだけでこのコトバはこうなってるのか、と分かります。文章の内部構造をレントゲン写真で透視して見て、その骨組みが分かる感じです。

　コトバの骨組みが分かった上でコトバを学習するのと、そうじゃないのとでは、その学習効果は天と地ほどの差がでてきます。コトバの構造が分かっていれば、敵陣地を攻略するのに、飛行機などで偵察し、前もって敵地の状況を知ってるようなものです。

　コトバの骨組みが分かれば、あとはそれに肉付けをするだけです。ここからは、ひたすら努力あるのみです。付属のＣＤを繰り返し聞いて、自分で声をだして、体に覚え込ませるしか方法はありません。でも、赤ん坊が何年もかかってコトバを覚えることを思うと、私たちは短期間に効率よく覚えようとするわけですから、ある程度の努力は当然じゃないでしょうか。

本書の構成と学習法

Part 1: 最初の最初、必須表現 45

　この 45 の必須表現は、旅の最重要表現のエッセンス中のエッセンスです。これだけでも、知ってるのとそうじゃないのとでは、旅の楽しみ方は非常に違ってきます。

　ほとんどが、「決まり文句」ですから、すらすら口にでるようになるまで、練習してください。

Part 2: すぐに使える重要表現 85 と基本単語 1000

　ここでは、海外での旅行・生活で重要となる表現 85 と、その表現に関連した基本単語約 1,000 語を収録してあります。

　一つの重要表現を 1 ユニットとして、2 ページ見開きで、英文の構造が日本文との対比で視覚的に分かるようにレイアウトされております。**(スーパー・ビジュアル法)**

【学習法】
1：まず、英語の構造を日本語との対比で理解してください。
2：英語の構文を理解したら、テキストを見ながら英語の語句の入れ替え練習をしてください。CDを聞いて、声を出して練習してください。
次に、日本語を見て、英文を見ないですらすら言えるまで練習してください。
3：「語句を覚えよう」では、日本語を見て、すぐに英語が言えるまで練習してください。語句は料理でいえば、材料です。材料が手元になければ、どんな料理も話しになりませんから、根気よく覚えることです。
4：「mini 会話」では、上で習った表現が実際に使われる場面を会話の流れの中で練習してください。
5：「Point」では、実際の会話でこの表現の使い方などを、解説しております。

Part 3: とっさの時に役たつ、単語 2800

外国で、とっさの時に、「これ、英語で何ていうのかな」と思ったときにアイウエオ順で引ける便利な単語集です。旅のお供にどうぞ。

● CDの録音内容

Part 1 では、左ページの和文と英文部分
Part 2 では、右ページの5つの英文の入れ替え練習と
　　　　　「mini 会話」

が、収録されております。
CDの録音時間：68分10秒

目 次

はじめに 2

スーパービジュアルって、何？ 4

本書の構成と学習法 6

目次 7

Part 1　最初の最初、必須表現 45 11

UNIT 1　あいさつ 12
UNIT 2　初対面とあいさつ 14
UNIT 3　初対面と別れ 16
UNIT 4　重要表現（1） 18
UNIT 5　重要表現（2） 20
UNIT 6　重要表現（3） 22
UNIT 7　買物表現 24
UNIT 8　大変だ！（緊急時の表現） 26
UNIT 9　数字を使った表現 28
UNIT 10　数字を覚えよう。 30

Part 2　すぐに使える重要表現 85 と基本単語 1000 33

UNIT 11　私は〜です／ではありません。 34
UNIT 12　あなたは〜ですか。 36
UNIT 13　こちらは〜です。 38
UNIT 14　私／私たちは〜から来ました。 40
UNIT 15　これ／あれは〜ですか。 42
UNIT 16　私は〜を持っています／持っていません。 44

UNIT 17	これは〜です／あれは〜ではありません。	46
UNIT 18	この辺に〜ありますか。	48
UNIT 19	〜はありますか。	50
UNIT 20	私は〜します。	52
UNIT 21	あなたは〜をしますか／しましたか。	54
UNIT 22	私は〜をしません。	56
UNIT 23	（私は）〜がほしいのですが／ほしい。	58
UNIT 24	（私は）〜したいのですが。	60
UNIT 25	（私はあなたに）〜してほしいです。	62
UNIT 26	〜に行きたい／行きたくない。	64
UNIT 27	〜で行きたい／行きたくない。	66
UNIT 28	この〜は〜行きですか。	68
UNIT 29	〜は、いくらですか。	70
UNIT 30	〜まけてくれませんか。	72
UNIT 31	何時に／いつ〜しましょうか。	74
UNIT 32	〜は、どこですか。	76
UNIT 33	〜は、何人ですか。	78
UNIT 34	〜は、何歳ですか。	80
UNIT 35	なぜ〜ですか。	82
UNIT 36	どのくらい〜ですか。	84
UNIT 37	どのくらい〜（時間が）かかりますか。	86
UNIT 38	〜は、何ですか。	88
UNIT 39	どちらが〜ですか。	90
UNIT 40	どんな種類の〜が好きですか。	92
UNIT 41	〜は、いかがですか／いかがでしたか。	94
UNIT 42	（あなたは）〜してくれませんか。	96
UNIT 43	〜しなければなりません。	98
UNIT 44	〜を、教えてください。	100

UNIT 45	～しましょう。	102
UNIT 46	どうやって～するのですか。	104
UNIT 47	どうぞ～してください。	106
UNIT 48	～で降ります。	108
UNIT 49	私は～を探しています。	110
UNIT 50	～は、好きですか。	112
UNIT 51	私は～が好きです／嫌いです。	114
UNIT 52	～を見せてください。	116
UNIT 53	～を見せていただけますか。	118
UNIT 54	～ができますか。	120
UNIT 55	（私は）～ができる／できない。	122
UNIT 56	～していいですか。	124
UNIT 57	～しないでください。	126
UNIT 58	～をお願いします。	128
UNIT 59	（あなたは）～したいですか。	130
UNIT 60	私は～です。	132
UNIT 61	あなたは～ですね。	134
UNIT 62	彼／彼女は～です。	136
UNIT 63	（あなたは）～ですか。	138
UNIT 64	（天気が）～です。	140
UNIT 65	～になりそうですね。	142
UNIT 66	～すぎます。	144
UNIT 67	（味が）～ですね。	146
UNIT 68	すてきな～ですね。	148
UNIT 69	（私は）～するつもりです。	150
UNIT 70	（私は）～がする。	152
UNIT 71	私は～をなくしました。	154
UNIT 72	～が動きません。	156

UNIT 73	～をありがとうございます。	158
UNIT 74	～してすみません。	160
UNIT 75	すみません、～ですか。	162
UNIT 76	～によろしく。	164
UNIT 77	どうぞ～。	166
UNIT 78	（あなたは）～が上手ですね。	168
UNIT 79	私は～に感動しました。	170
UNIT 80	（私は）～に、驚きました。	172
UNIT 81	（私は）～うれしく思います。	174
UNIT 82	～は、楽しかったですか。	176
UNIT 83	～は、初めてですか。	178
UNIT 84	こんな…を～ことがない。	180
UNIT 85	（私は）～に興味があります／ありません。	182
UNIT 86	（私はきっと）～と思う。	184
UNIT 87	～をどう思いますか。	186
UNIT 88	～することを期待しております。	188
UNIT 89	～を英語で何と言うのですか。	190
UNIT 90	～はどういう意味ですか。	192
UNIT 91	（あなたは）～したことがありますか。	194
UNIT 92	私は～したことがあります。	196
UNIT 93	私は～したことがない。	198
UNIT 94	（あなたは）～をご存知ですか。	200
UNIT 95	～を助言してくださいませんか。	202

Part 3　とっさの時に役立つ、単語集 2800 ────── 205

Part 1

最初の最初、必須表現 45

UNIT 1 あいさつ

こんにちは。	**Hello.** ハロー
お早うございます。	**Good morning.** グッド　モーニング
お元気ですか。	**How are you doing?** ハウ　アー　ユー　ドゥーイング
お陰様で、元気です。	**Pretty good, thank you.** プリティ　グッド　サンキュー
さようなら。	**Good bye.** グッド　バイ

▶ Hello. はあいさつ言葉の中では基本中の基本です。同時に、朝、昼、晩に関係なく使えますから、とても便利です。電話の「もしもし」もこれでOK！ Hi. はちょっとくだけた言い方です。

▶ 直訳すると、good ＝良い、morning ＝朝ですから、「いい朝」となります。でも日本語の「朝」と英語の morning の時間帯は、ちょっと違います。morning は午前1時からお昼の前までをいいます。

▶ How are you? という挨拶とともに、よく使われる表現です。初めて会ったときの挨拶、How do you do? との使い分けをきちんとできるようにしましょう。

▶ I'm fine, thank you. と言ってもいいのですが、実際はちょっと堅苦しく聞こえます。毎日の挨拶ですから、親しみを込めて言いたい一言ですね。また、少し調子が悪くてもこう答えるのが普通です。

▶ 他には、Bye. や Bye bye. なども別れの挨拶でよく使われます。「またね。」と言いたいときは、See you. や See you later. というのもあります。状況によってワンパターンにならないようにしましょう。

UNIT 2 初対面のあいさつ
CD-2

| はじめまして。 | **How do you do?**
ハウ　ドゥー　ユー　ドゥー |

| お名前は？ | **What's your name?**
ワッツ　ユア　ネイム |

| 私はエリです。 | **I'm Eri.**
アイム　エリ |

| はじめまして、よろしく。 | **Nice to meet you.**
ナイス　トゥ　ミーチュー |

| こちらこそ、よろしく。 | **Nice to meet you, too.**
ナイス　トゥ　ミーチュー　トゥー |

▶ How do you do? と言われたら、何と言いますか？答えは、How do you do? なんです。または、以下に出てくる、Nice to meet you. と答えてもOKです。握手をしながら言うことができれば、パーフェクトです。

▶ 名前は聞く前に、まず自分から名乗るのが礼儀なので気をつけましょう。日本語では普通に出来ていることでも、英語になるとつい忘れてしまったりします。出会いの印象を良くするコツの一つです。

▶ 自分の名前を言うときは、フルネイム (full name)、または、下の名前 (first name) だけというのが普通です。場合によっては、苗字に Mr. や Mrs. を付けて、I'm Mrs. Johnson. と言うこともあります。

▶ 基本的に、「よろしく。」とイコールになる英語はないと考えてください。その代わり、Nice to meet you. などの代わりとなる挨拶をするのです。直訳すると、「会えてうれしいです。」という意味です。

▶ Nice to meet you. と言われたら、Nice (Good, Happy) to meet you, too. と、too を付けて、「私もうれしいです。」という気持ちを伝えるのです。「私も」ということは、「こちらこそ」という意味です。

UNIT 3 初対面と別れ

CD-3

お目にかかれてうれしいです。	**I'm happy to meet you.** アイム ハピー トゥ ミーチュー
こちらこそ。	**Me, too.** ミー トゥー
また会いましょう。	**See you again.** シー ユー アゲイン
グレッグさんによろしく。	**Say hello to Greg.** セイ ハロー トゥ グレッグ
楽しいご旅行を！	**Have a nice trip!** ハヴ ア ナイス トリップ

▶ Nice to meet you. とよく似ている表現です。「うれしい」という気持ちは happy という言葉がぴったりなんです。とても丁寧に言いたいときは、It's an honor to meet you. というのもあります。

▶ 「私も。」と簡単に言いたい時の便利な表現ですから、覚えましょう。I'm from Japan.「私は日本から来ました。」とお友達が言ったら、Me, too!「私も！」と言うことができますよね。

▶ 海外旅行から帰るときなどに、お世話になった人などに言う表現です。いつも会っている人に「またね。」と言いたいときは、See you later. や、See you. だけでもいいのです。

▶ 知っているけれども会えない人に、代わりに挨拶をしておいてね、という意味合いがあります。ですから、会ったこともないのに、「奥様によろしく。」と言って、「いつ妻にあったの？」とあらぬ疑いを掛けられないように注意してくださいね。

▶ 相手を送り出すときの表現ですが、こう言われたら、Thank you. I will.「ありがとう。そうします。」と答えるのが普通です。I will have a nice trip. の省略の形になります。

UNIT 4 重要表現（1）

ありがとう。	**Thank you.** サンキュー
どういたしまして。	**You're welcome.** ユーア　ウェルカム
コーヒーをお願いします。	**Coffee, please.** コーフィ　プリーズ
ちょっとすみませんが。	**Excuse me.** エクスキューズ　ミー
大丈夫です。	**I'm okay.** アイム　オーケイ

▶ 本当によく使う表現なので、必ず覚えましょう！もう少し強い感謝を表したいときは、Thank you very much. や、Thanks a lot. という表現もあります。気持ちを込めて言うのを忘れずに！

▶ Thank you. と You're welcome. はセットで覚えましょう。他に、No problem.（ノウ　プロブレム）や、That's okay.（ザッツ　オウケイ）などもよく使われる表現です。

▶ とても便利な表現です。「ビール、お願いします」は Beer, please. で最低限分ってもらえます。でも、これだけで済ませようとすると、思わぬ勘違いが起きることもあるので注意してください。

▶ 旅行先などでは、日本とは習慣や考え方の違いなどに戸惑うものです。何かと人に尋ねなければいけないことも多いものです。いきなり質問をする前に、「すみません。」というだけで、相手の対応も違ってくるはずです。

▶ Are you okay?「大丈夫ですか？」と聞かれたら、この返事をしましょう。大丈夫じゃないときは、I'm not okay.「大丈夫じゃないです。」と正直に言って、質問をしたりして助けてもらいましょう。

UNIT 5 重要表現（2）

はい。（肯定）	**Yes.** イエス
いいえ。（否定）	**No.** ノゥ
知りません。	**I don't know.** アイ ドント ノゥ
知っています。	**I know.** アイ ノゥ
もしもし。（電話）	**Hello.** ハロー

▶ もう少しくだけた言い方で、Yeah.（イヤー）というのがあります。普段使うにはこれでも大丈夫ですが、少し改まった場所では Yes. を使うのが良いでしょう。

▶ No. には否定の意味があり、断るときなどに使われます。でも、断るときには、No. だけではぶっきらぼう過ぎるときもあるので、遠まわしに、I'm sorry but... と断る理由を述べて No. という言葉を言わないこともあるのです。

▶ この言葉も、そのままだと少しぶっきらぼうに聞こえることがあるので、I'm sorry I don't know.「すみませんが、分からないんです。」と言えば相手の気分を害さずに済みます。

▶ 「私もそう思う。」という意味でも使われるフレーズです。He's nice.「彼っていい人だよね。」I know.「私もそう思う。」という使い方にも挑戦してみてください。

▶ 電話での「もしもし。」にあたる言葉は Hello. でオーケーです。「～（名前）ですけど。」は、This is ～（名前）. になります。切る前の挨拶は、普通の挨拶と同じで、Good bye. や Bye. で大丈夫です。

UNIT 6 重要表現（3）

ちょっと待ってください。	Wait a minute.	ウェイト ア ミニット
トイレはどこですか。	Where's the bathroom?	ウェアズ ザ バースルーム
英語は話せますか。	Do you speak English?	ドゥー ユー スピーク イングリッシュ
英語は分かりません。	I don't understand English.	アイ ドント アンダースタンド イングリッシュ
英語は話せません。	I don't speak English.	アイ ドント スピーク イングリッシュ

▶ a minute はもともと「1分」ですから、「ほんの少しの間」という意味として使われるようになりました。a second（ア セカンド）（直訳で「1秒」）を使って、Wait a second. もポピュラーな表現です。

▶ 一般的にトイレは bathroom と言います。または、restroom でも大丈夫です。洋式の家では、お風呂場とトイレが一緒になっていることから、トイレ自体をバスルームと言うようになったのです。

▶ 「〜できる」は can なので、Can you speak English? でも間違いではありません。ただ、その人の能力を聞くようで失礼に当たるという人もいるので、Do you 〜 ? の方が無難な質問と言えます。

▶ 相手が英語を分かるものとして話し掛けてきたら、Excuse me. と言って、話を止めてから「その言葉が分かりません。」（話せません。）とはっきり言いましょう。分かるふりをして聞くのはトラブルの元になりかねませんよ。

▶ 分からないだけでなく、話すことができないときも正直にこう言って、Does anybody speak Japanese?「だれか日本語を話す人はいませんか？」と助けを求めるのも一つの方法です。小さな勘違いが大きな問題にならないよう気をつけましょう。

UNIT 7 買物表現

いくらですか。	**How much is it?** ハウ マッチ イズ イット
高いわ。	**Expensive.** イクスペンシヴ
安いわ。	**Cheap.** チープ
これをください。	**I'll take this.** アイル テイク ディス
いりません。	**No, thank you.** ノウ、 サンキュー

▶ 英語では1つなのか2つ以上なのかで言い方が違います。複数のものの場合は、How much are they? となるのです。それが面倒なら、How much? だけでも通じます。

▶ 値段が高いときには、Please give me a discount.「まけてください。」と言ってみるのもいいでしょう。ただし、日本と同じで、デパートなどでは値段が決まっているのが普通です。

▶ cheap には「安い」という意味の他に「安っぽい」という意味があるので、「品質に比べて妥当な値段だ。」と言いたい場合は、reasonable（リーズナブル）という言葉を使いましょう。

▶ 買い物のときの決まり文句なので、覚えてください。まだ決められないときは、I'll think about it.「ちょっと考えます。」と言ってよく考えてから買うのも一案ですね。

▶ しつこい店員には、はっきりと断ることが大切です。It's too loud.「派手過ぎる。」など、理由を言って買う気がないことを遠まわしに言うこともできます。

UNIT 8 大変だ！（緊急時の表現）

助けて！	**Help me!**

つきまとわないで！	**Leave me alone!**

救急車を呼んでください。	**Call an ambulance!**

病院へ行ってください。	**Take me to the hospital.**

お金を取られました。	**My money was stolen.**

▶ ひったくりにあったり、襲われたりしたときは、大声で近くの人に助けを求めることです。人気のないところでは、「誰か（いませんか？）！」Somebody! と叫んで助けを求めましょう。

▶ ものを売りつけようとして付きまとわれたり、嫌がらせをされたら、きっぱりとこういいましょう。しつこくされるようなら、特に女性は I'll call the police.「警察を呼びますよ。」と言うくらい強気に出てもいいでしょう。

▶ 「〜を呼んで！」と言いたいときは、Call 〜！を使って、「警察を呼んでください！」は救急車を警察に変えて、Call the police! と言います。「怪我人が（1人）います。」は A person is injured. と言います。

▶ 「〜（場所）へ連れて行ってください。」は Take me to 〜（場所）を使います。事故に巻き込まれたような場合は Take me to the police station.「警察署へ連れて行ってください。」という表現も覚えておきましょう。

▶ 警察などに事故を届ける時の表現です。「お金」money を「パスポート」passport や、「財布」wallet(purse) などと入れ替えて使うことができます。また、なくした場合は、I lost my money. と言います。

UNIT 9 数字を使った表現

お金	**2 dollars, 35 cents.** トゥー ダラーズ、サーティファイヴ センツ
電話番号	**632-5704** シックス スリー トゥー、ファイヴ セヴン オウ フォー
時刻・時間	**7:40 a.m. (seven forty)** セヴン フォーティ エイ エム
年月日	**October 2, 1975** オクトウバー セカンド、ナインティーン セヴンティファイヴ
物を数えるいろいろな表現 　1杯、1枚 　1箱、1ビン	**a cup of 〜 , a sheet of 〜** ア カップ オヴ　　ア シート オヴ **a box of 〜 , a bottle of 〜** ア ボックス オヴ　　ア ボトル オヴ

▶ 金額はドルならドルとセントの組み合わせで、〜ダラー（ズ）、〜セント（ツ）となるのが普通です。略して、トゥー、サーティファイブと言うこともあります。その場合、$235 という可能性もあるので、きちんと聞き返して確かめましょう。

▶ 電話番号はひとつひとつの数字をそのまま読むので、six hundred... とはなりません。ハイフン（-）のところは一呼吸置いて読むと分かりやすいでしょう。また、ゼロはアルファベットの "O"「オウ」と発音されることが多いので、聞き取るときには注意しましょう。

▶ 時間を表す o'clock はちょうどのときにしか使われないので注意。7時ちょうどは 7 o'clock 午前は a.m. 午後は p.m.（ピー・エム）を付けます。正午は noon、夜中の12時を midnight というのも覚えましょう。

▶ 月はそれぞれの月の名前を覚えましょう。日は first, second, third, fourth と順番などを表す言い方と同じように読みます。年は2桁ずつに切って読むのが普通ですが、2002年の場合、twenty... とは読まず、two thousand two となります。

▶ 特に英語では数えられないとされるもの、例えばコーヒーなどは a cup of coffee と、単位を使って言うのが普通です。2杯以上のときは two cups of coffee と単位の cup に s を付けて複数の形にします。3箱の場合は three boxes of 〜 とすればよいわけです。

数字を覚えよう。

1	one ワン		11	eleven イレヴン
2	two トゥー		12	twelve トゥウェルヴ
3	three スリー		13	thirteen サーティーン
4	four フォー		14	fourteen フォーティーン
5	five ファイヴ		15	fifteen フィフティーン
6	six シックス		16	sixteen シックスティーン
7	seven セヴン		17	seventeen セヴンティーン
8	eight エイト		18	eighteen エイティーン
9	nine ナイン		19	nineteen ナインティーン
10	ten テン		20	twenty トゥウェンティ

21	**twenty-one** トゥウェンティ ワン	40	**forty** フォーティ
22	**twenty-two** トゥウェンティ トゥー	50	**fifty** フィフティ
23	**twenty-three** トゥウェンティ スリー	60	**sixty** シクスティ
24	**twenty-four** トゥウェンティ フォー	70	**seventy** セヴンティ
25	**twenty-five** トゥウェンティ ファイヴ	80	**eighty** エイティ
26	**twenty-six** トゥウェンティ シックス	90	**ninety** ナインティ
27	**twenty-seven** トゥウェンティ セヴン	100	**one hundred** ワン ハンドレッド
28	**twenty-eight** トゥウェンティ エイト	1,000	**one thousand** ワン サウザンド
29	**twenty-nine** トゥウェンティ ナイン	10,000	**ten thousand** テン サウザンド
30	**thirty** サーティ	100,000	**one hundred thousand** ワン ハンドレッド サウザンド

Part 2

すぐに使える重要表現 85 と
基本単語 1000

UNIT 11 ■自分のことを言う
私は〜です／ではありません。

1	3	2
私は	日本人 ビジネスマン タカシ 学生 技術者	です。 ではありません。

語句を覚えよう！

Japanese ジャパニーズ	日本人	teacher ティーチャ	先生
business person ビズネス パーソン	ビジネスマン	office worker オフィスワーカー	サラリーマン 事務員
Takashi タカシ	タカシ	homemaker ホームメイカー	家事をする人
student スチューデント	学生	company president カンパニー プレジデント	社長
engineer エンジニア	技術者	salesperson セイルズパーソン	販売員

UNIT 11 CD-11   I'm 〜 / I'm not 〜.

1+2

I'm
アイム

I'm not
アイム　ノット

+

3

Japanese.
ジャパニーズ

a business person.
ア　ビジネス　　　　パーソン

Takashi.
タカシ

a student.
ア　スチューデント

an engineer.
アン　エンジニア

mini 会話

A：あなたは中国人ですか。　　　　Are you Chinese?
B：いえ、中国人ではありません。　No, I'm not Chinese.
　　日本人です。　　　　　　　　　I'm Japanese.

A：あなたは学生ですか。　　　　　Are you a student?
B：いえ、ビジネスマンです。　　　No. I'm a business person.

Point　自分はどういう人物かを言うための基本中の基本文です。I'm は、I am の短縮形。homemaker は男性、女性のどちらにも使うことができます。同じくビジネスマンも business person（ビジネスパーソン）の方が自然です。事務的な仕事をしている人は全般的に office worker と言います。オーエルと言っても通じませんからご注意を。

UNIT 12 CD-12
● 相手について聞く
あなたは〜ですか。

2	3	1
あなたは	アメリカ人 スミスさん（男性） スミスさん（女性） スミスさん（既婚／独身） イギリス人	ですか。

語句を覚えよう！

American アメリカン	アメリカ人	Chinese チャイニーズ	中国人
Mr. Smith ミスター スミス	スミスさん （男性）	French フレンチ	フランス人
Ms. Smith ミズ スミス	スミスさん （女性）	German ジャーマン	ドイツ人
Mrs./Miss Smith ミセズ／ミス　スミス	スミスさん （既婚／独身）	Italian イタリアン	イタリア人
British ブリティッシュ	イギリス人	Spanish スパニッシュ	スペイン人

UNIT 12 — CD-12

Are you ～?

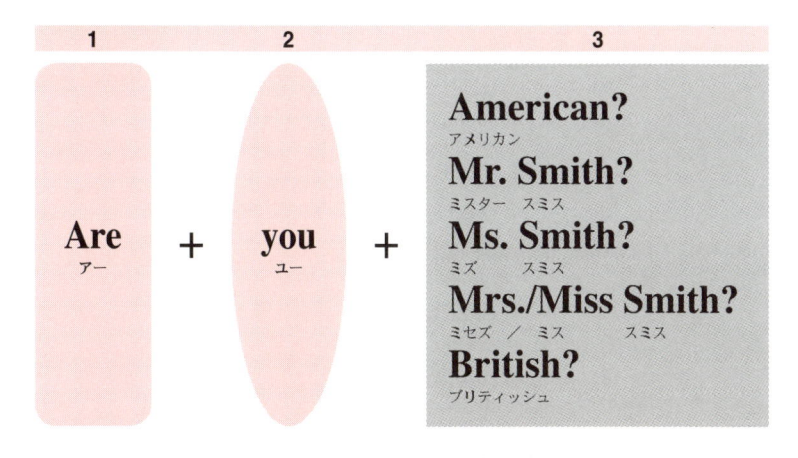

1	2	3
Are アー	**you** ユー	**American?** アメリカン **Mr. Smith?** ミスター スミス **Ms. Smith?** ミズ スミス **Mrs./Miss Smith?** ミセズ ／ ミス スミス **British?** ブリティッシュ

mini 会話

A：あなたはブラウンさん（女性）ですか。　　Are you Ms. Brown?
B：いえ、違います。　　No, I'm not.
A：失礼しました。　　Oh, excuse me.

Point 初対面などで相手を丁寧に呼びたい場合、Mr. または Ms. ＋苗字 (last name) が無難です。このとき苗字につける敬称をどうするかがポイントです。既婚の女性がご夫婦でいらっしゃるときは Mrs. を使うことが多いですが、独身の Miss は初対面では結婚しているかどうか分からないということから、あまり使われなくなってきた表現です。国の名前や国籍は日本語と発音が違うものも多いので、この機会に調べておきましょう。

UNIT 13 ● 紹介する時
こちらは〜です。

1	3	2

こちらは　| 私の妻 / 私の父 / 私の友達 / 私の恋人 / 私の会社の社長 | です。

語句を覚えよう！

wife ワイフ	妻	husband ハズバンド	夫
father ファーザ	父	mother マザー	母
friend フレンド	友達	parents ペアレンツ	両親
girlfriend/boyfriend ガールフレンド／ボーイフレンド	恋人	son サン	息子
the president of my company ザ プレジデント オブ マイ カンパニー	私の会社の社長	daughter ドーター	娘

UNIT 13 This is 〜.
CD-13

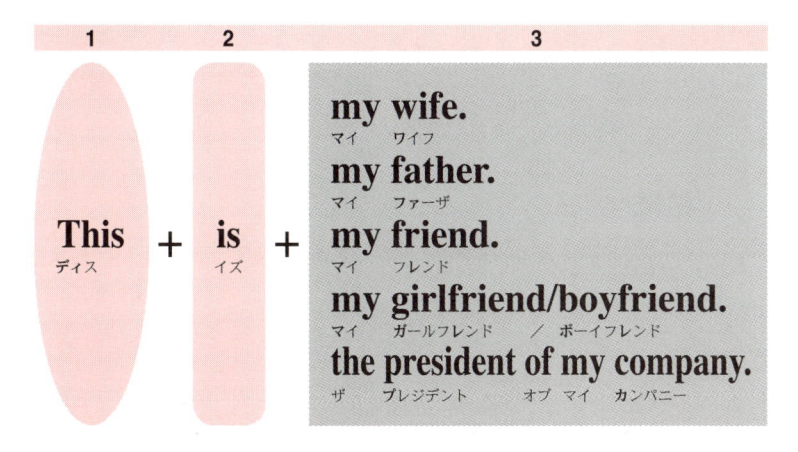

1	2	3
This ディス	+ is + イズ	my wife. マイ　ワイフ my father. マイ　ファーザ my friend. マイ　フレンド my girlfriend/boyfriend. マイ　ガールフレンド　／　ボーイフレンド the president of my company. ザ　プレジデント　オブ　マイ　カンパニー

mini 会話

A：はじめまして。　　　　　　How do you do?
　こちらは私の妻です。　　　　This is my wife.
B：はじめまして。　　　　　　Oh, how do you do?
　お目にかかれてうれしいです。 Nice to meet you.

Point 初めて会う時は、How do you do? で How are you? は使わないので要注意。恋人は年齢に関係なく girlfriend/boyfriend です。lover という言葉は「愛人」というニュアンスなので気をつけてください。男性は男友達を boyfriend と紹介すると特別な関係と勘違いされることもあります。

UNIT 14　CD-14　● 居住地の表現
私／私たちは～から来ました。

1	3	2
私は 私たちは	日本 東京 ニューヨーク ロンドン パリ	から来ました。

語句を覚えよう！

Japan ジャパン	日本	Seoul ソウル	ソウル
Tokyo トーキョー	東京	Bangkok バンコク	バンコク
New York ニューヨーク	ニューヨーク	Rome ローム	ローマ
London ランドン	ロンドン	Madrid マドリッド	マドリッド
Paris パリス	パリ	Berlin バーリン	ベルリン

UNIT 14
CD-14

I'm / We're from ～.

1+2

I'm from
アイム　フロム

We're from
ウィア　　フロム

+

3

Japan.
ジャパン

Tokyo.
トーキョー

New York.
ニューヨーク

London.
ロンドン

Paris.
パリス

mini 会話

A：どちらから来ましたか。　　Where are you from?
B：私は日本から来ました。　　I'm from Japan.
C：私達はニューヨークから来　We're from New York.
　　ました。

Point　「～から来る」は、be + from で、come from ～でないところに注意。欧米では特に初対面では、国籍がどこか(「日本人」など)という言い方よりも、どこから来た(居住地、出身地)のかを言ったり、聞いたりするほうが自然です。いろいろな国籍の人達が集まっている国際的な国や都市では特にその傾向が強いようです。

UNIT 15　●物について尋ねる
CD-15　これ／あれは〜ですか。

2	3	1
これは あれは	駅 学校 病院 食べ物 動物	ですか。

語句を覚えよう！

station ステイション	駅	plant プラント	植物
school スクール	学校	bird バード	鳥
hospital ホスピタル	病院	insect インセクト	虫
food フード	食べ物	meat ミート	肉
animal アニマル	動物	fish フィッシュ	魚

UNIT 15　Is this / that ～ ?

CD-15

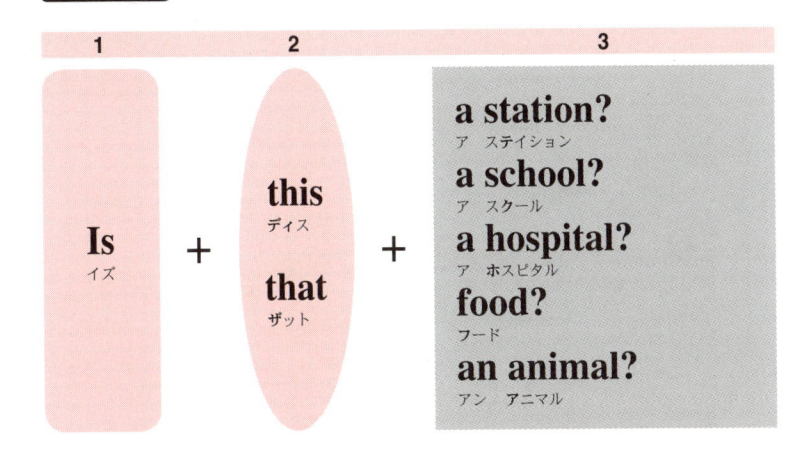

1	2	3
Is イズ	+ **this** ディス **that** ザット	+ **a station?** ア　ステイション **a school?** ア　スクール **a hospital?** ア　ホスピタル **food?** フード **an animal?** アン　アニマル

mini 会話

A：すみません、これは病院ですか。　Excuse me, is this a hospital?
B：そうです。　Yes, it is.

A：あれは魚ですか。　Is that fish?
B：いいえ、違います。肉です。　No, it isn't. It's meat.

Point　海外旅行では、食べたことのないものや、建物などについて聞きたいことによく出会います。そんな時は、遠慮なくこの文で聞いてみましょう。知らない人に話し掛けるときは、Excuse me. と前置きするのを忘れずに！

UNIT 16 　●所有の表現
私は〜を持っています／持っていません。

1	3		2
私は	パスポート 荷物 カメラ クレジットカード 切符	を	持っています。 持っていません。

語句を覚えよう！

passport パスポート	パスポート	money マネー	お金
baggage バゲッジ	荷物	key キー	鍵
camera キャメラ	カメラ	traveler's check トラベラーズ　チェック	トラベラーズチェック
credit card クレジット　カード	クレジットカード	valuables ヴァリュアブルズ	貴重品
ticket ティケット	切符	airline ticket エアライン　ティケット	航空券

UNIT 16　I have / I don't have 〜.
CD-16

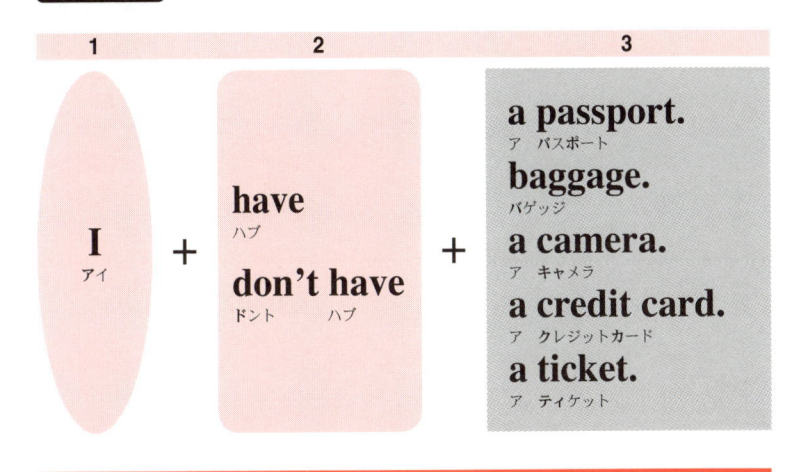

1	2	3

I
アイ

+

have
ハブ

don't have
ドント　ハブ

+

a passport.
ア　パスポート
baggage.
バゲッジ
a camera.
ア　キャメラ
a credit card.
ア　クレジットカード
a ticket.
ア　ティケット

mini 会話

A: 私はお金を持っていません。クレジットカードを持っています。いいですか。
I don't have any money. I have a credit card. Can I use it?

B: こちらでは、クレジットカードは扱ってないのですが。
We don't accept credit cards here.

Point 海外では多額の現金を持ち歩くことはあまりお勧めできません。それで、支払いの時に現金が足りないようなときは、Can I use a credit card?「クレジットカードは、使えますか？」と事前に確かめておくことが大切です。特に、トラベラーズチェックが使えるかどうかを確かめてから、買い物をした方がよいでしょう。

UNIT 17
CD-17

● 所有関係の表現
これは〜です／あれは〜ではありません。

1	3	2
これは あれは	私の物 私の荷物 彼のバッグ 彼女の服 彼らの友達	です。 ではありません。

語句を覚えよう！

mine マイン	私のもの	ballpoint pen ボールポイント ペン	ボールペン
my suitcase マイ スーツケース	私のスーツケース	our school アワ スクール	私たちの学校
his bag ヒズ バッグ	彼のバッグ	yours ユアーズ	あなたのもの
her clothing ハー クロウジング	彼女の服	theirs ゼアーズ	彼らのもの
their friend ゼア フレンド	彼らの友達	your watch ヨア ウォッチ	あなたの時計

UNIT 17 CD-17 This is 〜 / That is not 〜.

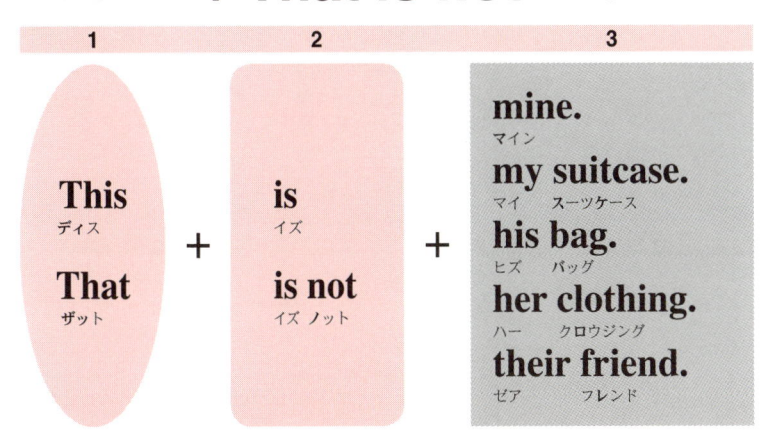

1	2	3
This ディス **That** ザット	**is** イズ **is not** イズ ノット	**mine.** マイン **my suitcase.** マイ スーツケース **his bag.** ヒズ バッグ **her clothing.** ハー クロウジング **their friend.** ゼア フレンド

mini 会話

A:これは誰のものですか。   Whose is this?
B:私のものです。   It's mine.
A:あれは誰のですか。   Whose is that?
B:あれは彼のバッグです。   That's his bag.

Point　「これは、〜です。」「あれは、〜です。」の基本表現。旅行先で、荷物などが他の人のものと一緒になってしまったときなどは、That's mine!「それは私のものです！」とはっきり言って自分の荷物を確認しましょう。
my＝私の、our＝私たちの、your＝あなたの、your＝あなたたちの、his＝彼の、her＝彼女の、their＝彼／彼女らの

47

UNIT 18 — 場所を尋ねる
この辺に〜ありますか。

3	2	1
この辺に	銀行 郵便局 レストラン ホテル デパート	ありますか。

語句を覚えよう！

bank バンク	銀行	supermarket スーパーマーケット	スーパー
post office ポスト オフィス	郵便局	bookstore ブックストア	本屋
restaurant レストラント	レストラン	drugstore ドラッグストア	薬屋
hotel ホテル	ホテル	clinic クリニック	診療所
department store ディパートメント ストア	デパート	convenience store コンヴィニエンス ストア	コンビニ

UNIT 18 CD-18   Is there ～ around here?

1	2	3
Is there イズ ゼア	**a bank** ア バンク **a post office** ア ポストオフィス **a restaurant** ア レストラント **a hotel** ア ホテル **a department store** ア ディパートメント ストア	**around here?** アラウンド ヒア

Is there + [noun] + around here?

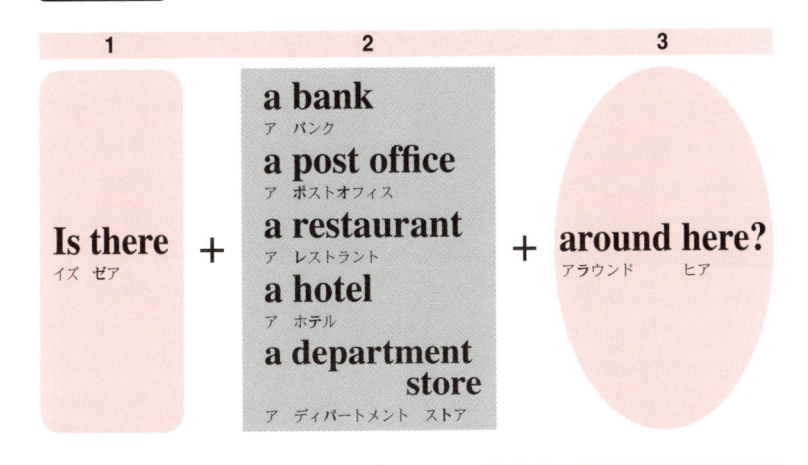

mini 会話

A：この辺にレストランありますか。
Is there a restaurant around here?

B：むこうに日本のレストランがあります。
There's a Japanese restaurant over there.

A：デパートはどうですか？
How about a department store?

B：この辺にデパートはないです。
There's not a department store around here.

Point デパートは department store と言わないと通じないので要注意。病院はアメリカなどの場合、大きな救急医療や入院のできる病院を hospital と呼び、開業医や小さな診療室などは doctor's office または clinic というのが一般的です。風邪を引いたと言って hospital に行く人はあまりいません。

UNIT 19
CD-19

● 物の有無を尋ねる

〜はありますか。

2		1
コーヒー ビール お茶 フィルム たばこ	は	ありますか。

単語を覚えよう！

coffee コーフィ	コーヒー	water ウォーター	水
beer ビア	ビール	hot water ホット ウォーター	お湯
tea ティー	お茶	picture postcard ピクチャー ポストカード	絵はがき
film フィルム	フィルム	battery バタリー	電池
cigarette シガレット	たばこ	tissue ティシュー	ティッシュ

UNIT 19　Do you have 〜 ?
CD-19

1　Do you have
ドゥー　ユー　ハヴ

＋

2
coffee?
コーフィ
beer?
ビア
tea?
ティー
film?
フィルム
cigarettes?
シガレッツ

mini 会話

A：コーヒーはありますか。	Do you have coffee?
B：はい。	Yes, we do.
A：2つください。	Two coffees, please.
B：お砂糖は？	Would you like sugar?
A：いいです。	No, thank you.

Point　お店やレストランなどで、「〜がありますか？」と聞きたいときは have を使って聞くのが普通です。反対に、お店の人が「あります／ありません。」と言うときには We have 〜 /We don't have 〜 . と言います。

UNIT 20 CD-20
● 行動を言う
私は〜します。

1	3	2
私は	ランチを	食べます。
	公園へ	行きます。
	服を	買います。
	家へ	帰ります。
	薬を	飲みます。

語句を覚えよう！

eat lunch イート ランチ	ランチを食べる	drink beer ドリンク ビア	ビールを飲む
go to the park ゴー トゥー ザ パーク	公園へ行く	work ワーク	仕事をする
buy clothes バイ クローズ	服を買う	study スタディー	勉強をする
go home ゴー ホーム	家へ帰る	listen to music リッスン トゥー ミュージック	音楽を聞く
take medicine テイク メディスン	薬を飲む	watch TV ウォッチ ティー ヴィー	ＴＶを見る

UNIT 20
CD-20

I 〜.

1	2	3
I アイ	**eat** イート	**lunch.** ランチ
	go ゴー	**to the park.** トゥー ザ パーク
	buy バイ	**clothes.** クローズ
	go ゴー	**home.** ホーム
	take テイク	**medicine.** メディスン

mini 会話

A：週末は何をしますか。　　What do you do on weekends?
B：私はテレビを見ます。　　I watch TV.
A：金曜日は何をしますか。　What do you do on Fridays?
B：ビールを飲みます。　　　I drink beer.

Point いろいろな動詞を使って、自分が現在、習慣的に行っていることなどを表わす表現です。仕事やプライベートでいつも何をしているか自分の生活を考えて、文を作ってみてください。いろいろな話題について話す基本となりますので、少しでも多くの動詞を覚えて使ってみましょう！

53

UNIT 21　●行動を尋ねる
あなたは〜をしますか／しましたか。

2	3	1
あなたは	テニスをし 朝食を食べ コーヒーを飲み 夕食を食べ 映画を見	ますか。 ましたか。

語句を覚えよう！

play tennis プレイ　テニス	テニスをする	read the newspaper リード　ザ　ニューズペイパー	新聞を読む
eat breakfast イート　ブレックファスト	朝食を食べる	listen to the radio リッスン　トゥ　ザ　レディオ	ラジオを聞く
drink coffee ドリンク　コーフィ	コーヒーを飲む	go to school ゴー　トゥー　スクール	学校へ行く
eat dinner イート　ディナー	夕食を食べる	go to work ゴー　トゥー　ワーク	会社へ行く
see movies スィー　ムーヴィーズ	映画を見る	go for a walk ゴー　フォー　ア　ウォーク	散歩をする

UNIT 21 CD-21 Do / Did you ～ ?

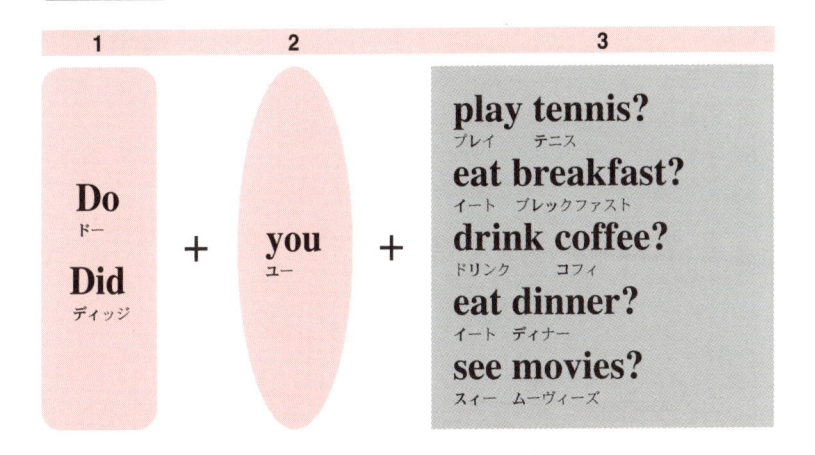

1	2	3
Do ドー **Did** ディッジ	**+** **you** ユー **+**	**play tennis?** プレイ テニス **eat breakfast?** イート ブレックファスト **drink coffee?** ドリンク コフィ **eat dinner?** イート ディナー **see movies?** スィー ムーヴィーズ

mini 会話

A：午後テレビを見ますか。　　Do you watch TV in the afternoon?
B：はい、見ます。　　Yes, I do.
A：その後は何をしますか。　　What do you do after that?
B：友達と一緒に夕食を食べます。　　I eat dinner with my friend.

Point 基本的な生活・行動の語句を使った質問文です。テニスなどの球技は普通、play を使って play tennis や play golf（テニス／ゴルフをする）という形になります。Do you ～ ? と聞かれたら、Yes, I do. または No, I don't. と答えましょう。

UNIT 22
CD-22

● 習慣・趣味について

私は～をしません。

1	3	2
私は	お酒を飲み たばこを吸い ゴルフをし 麻雀をし ギャンブルをし	ません。

語句を覚えよう！

drink alcohol ドリンク　アルコホール	酒を飲む	play baseball プレイ　ベイスボール	野球をする
smoke cigarettes スモーク　シガレッツ	たばこを吸う	play soccer プレイ　サッカー	サッカーをする
play golf プレイ　ゴルフ	ゴルフをする	go hiking ゴー　ハイキング	ハイキングに行く
play mahjong プレイ　マージャン	麻雀をする	swim スウィム	水泳をする
gamble ギャンブル	ギャンブルをする	climb mountains クライム　マウンテンズ	登山をする

UNIT 22
CD-22
I don't 〜.

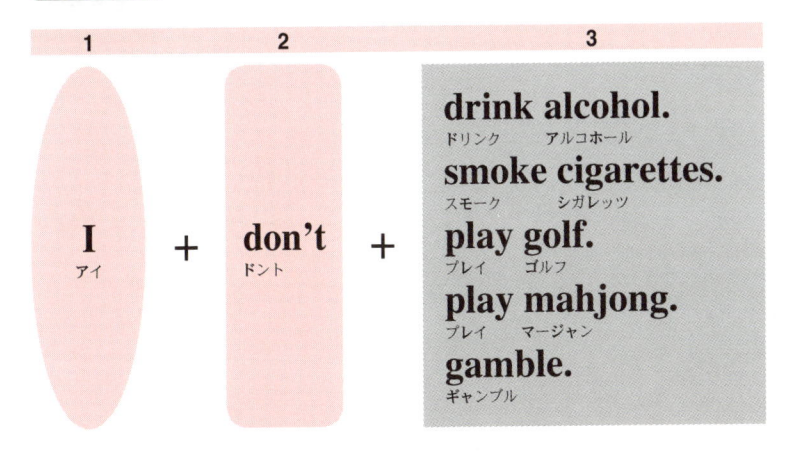

1	2	3
I アイ	+ don't ドント +	drink alcohol. ドリンク　アルコホール smoke cigarettes. スモーク　シガレッツ play golf. プレイ　ゴルフ play mahjong. プレイ　マージャン gamble. ギャンブル

mini 会話

A：お酒は飲みますか。　Do you drink alcohol?
B：いや、私はお酒はやりません。　No, I don't drink alcohol.
　あなたは？　How about you?
A：私は、お酒もたばこも吸いません。 I don't either drink or smoke.

Point　「〜しない」という否定文には do に not を付けます。do not は短くして don't とするのが普通です。このまま覚えましょう。球技ではないスポーツ（水泳、スキー）などは、は play swim とは言わず、それぞれの動詞 (swim, ski) だけで表わします。

UNIT 23　CD-23

● ほしい時の表現

（私は）〜がほしいのですが／ほしい。

2　　　　　　　　　　**1**

これ
あれ
ワイン　　　が
新聞
モーニングコール

（私は）
ほしいのですが。

ほしい。

語句を覚えよう！

this one ディス　ワン	これ	mineral water ミネラル　ウォータ	ミネラル ウォーター
that one ザット　ワン	あれ	copy コピー	コピー
wine ワイン	ワイン	someone who understands Japanese サムワン　フー　アン　ダースタンド　ジャパニーズ	日本語が分かる人
newspaper ニューズペイパー	新聞	interpreter インタープリター	通訳
wake-up call ウェイクアップ　コール	モーニングコール	menu メニュー	メニュー

UNIT 23 — CD-23

I'd like 〜. / I want 〜.

1

I'd like
アイド ライク

I want
アイ ウォント

+

2

this one.
ディス ワン

that one.
ザット ワン

wine.
ワイン

a newspaper.
ア ニューズペイパー

a wake-up call.
ア ウェイクアップ コール

mini 会話

A：何かご用は？
B：明朝7時にモーニングコールをお願いしたいのですが。
A：かしこまりました。

May I help you?
I'd like a wake-up call at seven tomorrow morning.
Certainly.

Point I want 〜. は「〜がほしい。」という意味ですが、「〜がほしいのですが。」と少し丁寧に言いたい場合は I'd like 〜. を使います。友達同士で話をするときは I want 〜. でもいいのですが、店やホテルなどで、店員などに欲しいものをお願いするときは I'd like 〜 を使いましょう。I'd は I would の短縮形です。

UNIT 24　●希望を伝える
CD-24
（私は）〜したいのですが。

2		1
空港へ行き		
部屋を予約	し	（私は）たいのですが。
飛行機を予約		
円をドルに両替		
スケジュールを変更		

語句を覚えよう！

airport エアポート	空港	go ゴー	行く
room ルーム	部屋	reserve リザーヴ	予約する
flight フライト	フライト	exchange イクスチェンジ	両替する
dollar ダラー	ドル	change チェンジ	変更する
schedule スケジュール	スケジュール	reconfirm リコンファーム	再確認する

UNIT 24 CD-24　I'd like to 〜.

1　　　　　　**2**

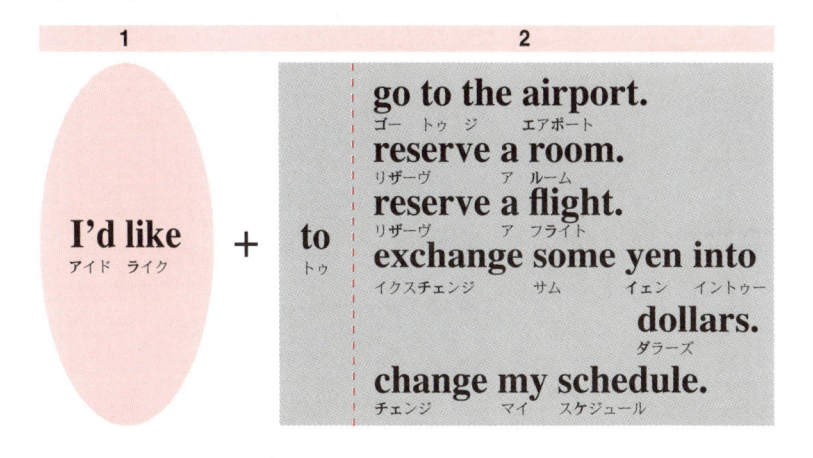

I'd like　＋　**to**　
- go to the airport.
- reserve a room.
- reserve a flight.
- exchange some yen into dollars.
- change my schedule.

mini 会話

A：すみません。空港へ行きたいのですが。　Excuse me. I'd like to go to the airport.
B：タクシーが便利ですよ。　A taxi will be convenient.
A：両替もしたいのですが、近くに銀行ありますか。　I'd like to exchange some money. Is there a bank near here?

Point　「〜したい」ことを丁寧に伝える、最重要表現。特にお金を両替する時の、exchange some yen into dollars「円をドルに替える」という表現は海外旅行では必須です。両替は空港だけでなく、銀行・ホテル等でもできますが、レートが違うようです。

UNIT 25　●希望を伝える
（私はあなたに）〜してほしいです。

1	3	4	2
（私は）	（あなたに）	ここに来て／手伝って／電話をして／タクシーを呼んで／街を案内して	ほしいです。

語句を覚えよう！

英語	意味	英語	意味
come カム	来る	carry my baggage キャリー マイ バゲッジ	荷物を運ぶ
help ヘルプ	手伝う	call a doctor コール ア ドクター	医者を呼ぶ
make a call メイク ア コール	電話をする	send an e-mail センド アン イーメイル	イーメールをする
call a taxi コール ア タクシー	タクシーを呼ぶ	fax ファックス	ファックスをする
show around town ショウ アラウンド タウン	街を案内する	interpret インタープリット	通訳をする

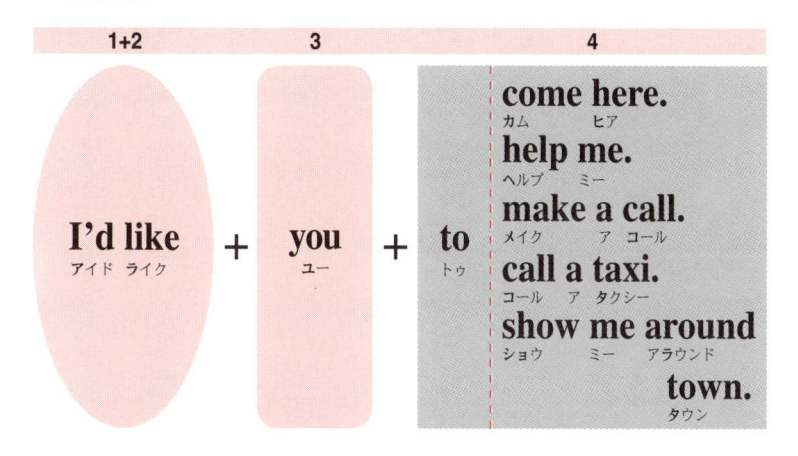

UNIT 25　I'd like you to 〜.
CD-25

1+2	3	4

I'd like ＋ **you** ＋ **to**
アイド ライク　　ユー　　　　トゥ

- come here.
  カム　ヒア
- help me.
  ヘルプ　ミー
- make a call.
  メイク　ア　コール
- call a taxi.
  コール　ア　タクシー
- show me around town.
  ショウ　ミー　アラウンド　タウン

mini 会話

A：タクシーを呼んでほしいのですが。
I'd like you to call a taxi.

B：わかりました。ロビーで待っていてください。
Sure. Please wait in the lobby.

Point　「あなたに〜してほしい」の「あなた」you が like と to の間に入るところがポイントです。この表現でも、want よりは would like の方が丁寧な言い方になるので、こちらを使いましょう。「案内する」は show ＋ 人 ＋ around と言います。街 (town) をつけなくても通じる表現です。

UNIT 26　●「行き先、目的地」の希望表現
〜に行きたい／行きたくない。

2		1
ディズニーランド 繁華街 日本大使館 買物 観光	に	（私は） 行きたい。 行きたくない。

語句を覚えよう！

Disneyland ディズニーランド	ディズニーランド	kiosk キーアスク	キオスク
downtown ダウンタウン	繁華街	police box ポリース　ボックス	交番
Japanese embassy ジャパニーズ　エンバシー	日本大使館	optical shop オプティカル　ショップ	眼鏡店
shopping ショッピング	買物	boutique ブティーク	ブティック
sightseeing サイトシーイング	観光	grocery store グロサリー　ストア	食品店

UNIT 26 / CD-26 I'd like / I wouldn't like to go 〜.

1
I'd like to go
アイド ライク トゥ ゴウ

I wouldn't
アイ ウドゥント
like to go
ライク トゥ ゴウ

＋

2
to Disneyland.
トゥ ディズニーランド
downtown.
ダウンタウン
to the Japanese
トゥ ザ ジャパニーズ
　　　　　embassy.
　　　　　エンバシー
shopping.
ショッピング
sightseeing.
サイトシーイング

mini 会話

A：どこに行きたいですか。　Where would you like to go?
B：繁華街へ行きたいです。　I'd like to go downtown.
A：そこで何をしたいのですか。 What would you like to do there?
B：買物に行きたいです。　I'd like to go shopping.

Point 前のユニット24で勉強した I'd like to＋go＋〜 で、「〜に行きたいです。」という表現になります。いわゆる場所を表わす表現の前には大体「〜へ、〜に」にあたる to を付けるのが普通ですが、downtown（繁華街）は例外で、to は付けないのです。go＋動詞＋ing で「〜しに行く」。

UNIT 27
CD-27

■「行く手段」の表現
〜で行きたい／行きたくない。

2		1
車（自動車） タクシー バス　　　で 電車 地下鉄		（私は） 行きたい。 行きたくない。

語句を覚えよう！

car カー	自動車	bicycle バイシクル	自転車
taxi タクシー	タクシー	ferry フェリー	フェリー
bus バス	バス	cruise ship クルーズ　シップ	客船
train トレイン	電車	airplane エアプレイン	飛行機
subway サブウェイ	地下鉄	cable car ケイブル　カー	ケーブルカー

UNIT 27 CD-27 I'd like to / I wouldn't like to go by ～.

1

I'd like to go
アイド ライク トゥ ゴウ

I wouldn't
アイ ウドゥント
like to go
ライク トゥ ゴウ

＋

2

by
バイ

car.
カー
taxi.
タクシー
bus.
バス
train.
トレイン
subway.
サブウェイ

mini 会話

A：何で行きますか。 How would you like to get there?
B：バスで行きたいです。 I'd like to go by bus.
A：では、高速バスがいいですよ。 It's a good idea to take the express bus.

Point 乗り物でどこかに行く場合は「by+乗り物」という形が基本となります。旅行先によって交通手段は限られてくるところもありますが、せっかくの旅行ですから、いろいろな乗り物を使うと楽しいですよね。しっかり覚えて使いこなせるようにしましょう。

UNIT 28 CD-28 ●「行き先」の聞き方
この〜は〜行きですか。

2	3	5	4	1
この	バスは 電車は 地下鉄は 飛行機は 船は	サンフランシスコ パリ ニューヨーク ロンドン アムステルダム	行きです	か。

語句を覚えよう！

bus バス	バス	San Francisco サンフランシスコ	サンフランシスコ
train トレイン	電車	Seattle シアトル	シアトル
subway サブウェイ	地下鉄	Los Angeles ロサンジェルス	ロスアンゼルス
airplane エアプレイン	飛行機	Miami マイアミ	マイアミ
ship シップ	船	Amsterdam アムスタダム	アムステルダム

UNIT 28 Does this 〜 go to 〜 ?
CD-28

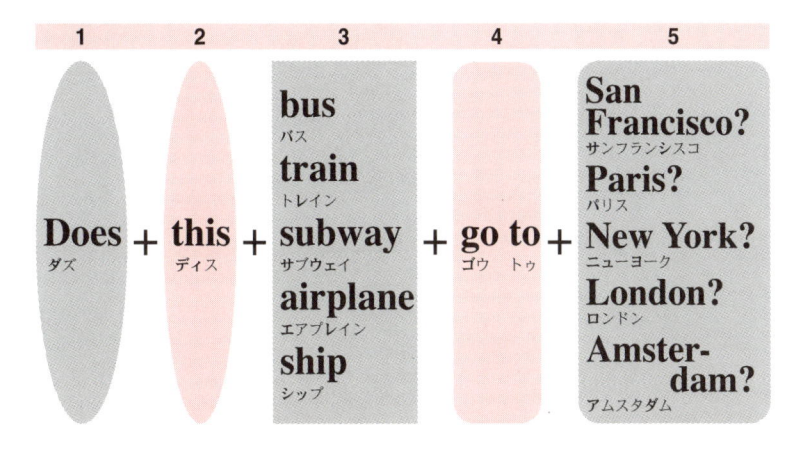

1	2	3	4	5
Does ダズ	**this** ディス	**bus** バス **train** トレイン **subway** サブウェイ **airplane** エアプレイン **ship** シップ	**go to** ゴゥ トゥ	**San Francisco?** サンフランシスコ **Paris?** パリス **New York?** ニューヨーク **London?** ロンドン **Amsterdam?** アムスタダム

mini 会話

A：すみません。この高速バスはシアトル行きですか。
Excuse me. Does this express bus go to Seattle?

B：いえ、行きません。サンフランシスコ行きです。
No, it doesn't. It goes to San Francisco.

Point 乗り物の「行き先」を聞く基本表現です。目的の乗り物に乗る時に、アナウンスが聞き取れない時や、時刻が分からない時などは駅員に聞くのが一番でしょう。初対面ですから、いきなり質問を始めないで、Excuse me. を付けるのを忘れずに！

UNIT 29
CD-29

● 値段を聞く

〜は、いくらですか。

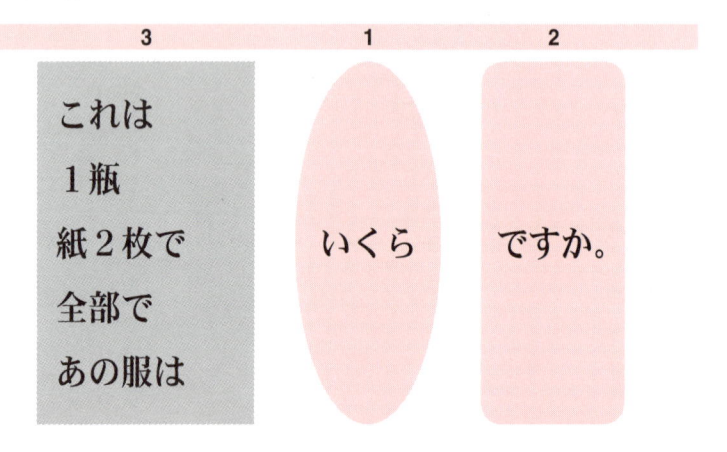

| 3 | 1 | 2 |

| これは
1瓶
紙2枚で
全部で
あの服は | いくら | ですか。 |

単語を覚えよう！

this ディス	これ	expensive イクスペンシヴ	高い
one bottle ワン　ボトル	1瓶	cheap チープ	安い
two sheets トゥ　シーツ	2枚	more モア	もっと
these all ディーズ　オール	全部	okay. オーケイ	OK
those clothes ゾーズ　クロウズ	あの服	I'll think about it. アイル　シンク　アバウト　イット	ちょっと考えます。

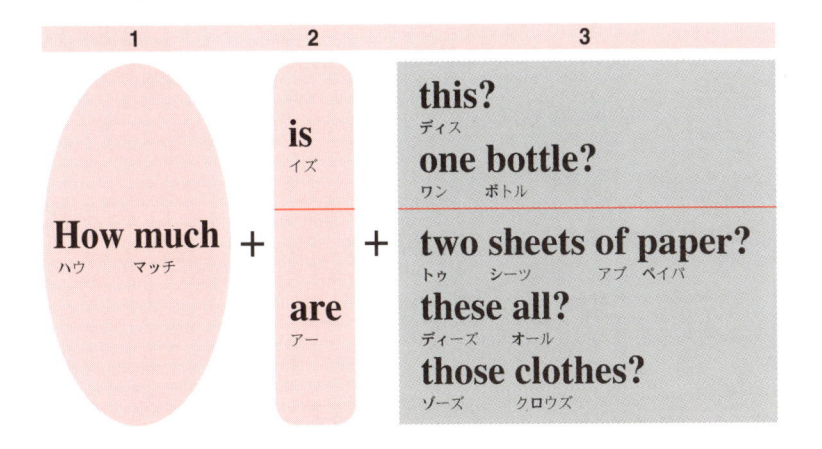

UNIT 29 How much 〜?

1	2	3
How much ハウ　マッチ	+ is イズ +	this? ディス one bottle? ワン　ボトル
	+ are アー +	two sheets of paper? トゥ　シーツ　アブ　ペイパ these all? ディーズ　オール those clothes? ゾーズ　クロウズ

mini 会話

A：これはいくら？　　　　　How much is this?
B：200ドルです。　　　　　It's two hundred dollars.
A：高い！もっと安くして。　Expensive! Please give me a discount.

Point 英語ではHow much の後に主語が単数なら is、複数なら are が続きます。どうしても覚えられないときは、How much? だけでも通じます。紙の単位は sheet(s)、本や CD などは copy (copies) を使って表わします。

UNIT 30
CD-30

● 値段の交渉

～まけてくれませんか。

1	3	2
（どうか）	もっと 2個で10％（引きに） 半分（50％引き）に 現金払いで20％（引きに） 300ドルに	まけてくれませんか。

語句を覚えよう！

discount ディスカウント	まける	sale セール	特売
a 10 percent discount for two ア テン パーセント ディスカウント フォー トゥ	2個で10％引き	half the price ハーフ ザ プライス	半値
a fifty percent discount ア フィフティ パーセント ディスカウント	50％引き	profit プロフィット	儲け
twenty percent off for cash トゥエンティ パーセント オフ フォア キャッシュ	現金払いで20％引き	I'm broke. アイム ブロウク	お金がない。
300 dollars スリー ハンドレッド ダラーズ	300ドル	No, thank you. ノウ サンキュ	いらないわ。

UNIT 30 Please give me a ~ discount / make it ~.

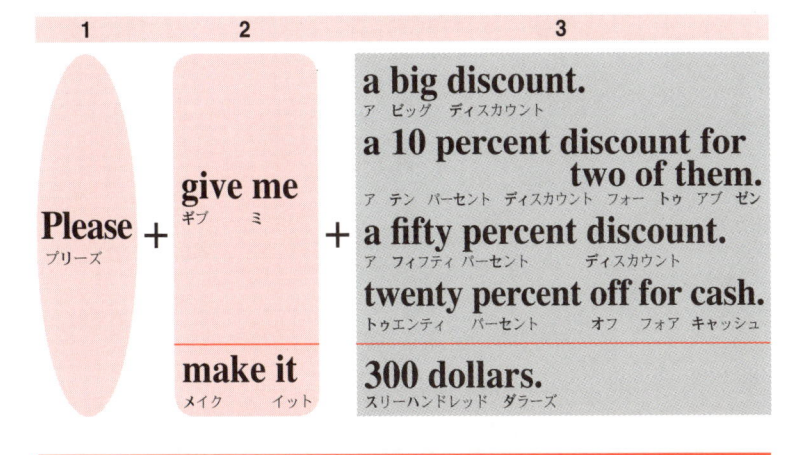

CD-30

1	2	3
Please プリーズ	give me ギブ ミ	a big discount. ア ビッグ ディスカウント a 10 percent discount for two of them. ア テン パーセント ディスカウント フォー トゥ アブ ゼン a fifty percent discount. ア フィフティ パーセント ディスカウント twenty percent off for cash. トゥエンティ パーセント オフ フォア キャッシュ
	make it メイク イット	300 dollars. スリーハンドレッド ダラーズ

mini 会話

A：これいくらですか。 How much is this?
B：300ドルです。 It's 300 dollars.
A：まけてくれませんか。 Please give me a discount.
B：250ドルではどうですか。 How about 250?
A：いいです。 Okay.

Point お金の言い方は、ドル (dollar (s))、セント (cent (s)) やポンド (pound (s)) などを付けて表わすのが普通ですが、付けないこともあるので、注意してください。two fifty と言われたので2ドル50セントと思っていたら、250ドルだったということも実際にあるようです。

UNIT 31　●日時を聞く
CD-31　何時に／いつ～しましょうか。

1	3	4	2
何時に／いつ	私達は	出発しま／会いま／帰ってきま	しょうか。
	お店は	オープン／クローズ	しますか。

語句を覚えよう！

start スタート	出発する	be back to Japan ビ バック トゥ ジャパン	日本に帰国する
meet ミート	会う	visit ビジット	訪問する
be back ビ バック	帰ってくる	get up ゲット アップ	起きる
open オゥプン	開店する	go to bed ゴゥ ツー ベッド	寝る
close クロウズ	閉店する	have breakfast ハブ ブレックファスト	朝食をとる

UNIT 31　What time / When 〜 ?
CD-31

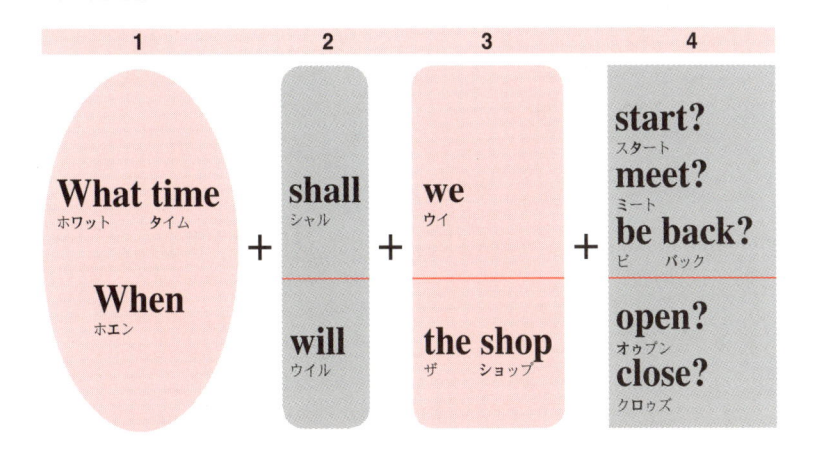

1	2	3	4
What time ホワット　タイム **When** ホエン	**shall** シャル **will** ウイル	**we** ウイ **the shop** ザ　ショップ	**start?** スタート **meet?** ミート **be back?** ビ　バック **open?** オゥプン **close?** クロゥズ

mini 会話

A：何時にここであいましょうか。 B：明日の午後3時でいかがでしょう。	What time shall we meet here? How about tomorrow at 3 p.m.?
A：お店はいつ閉店ですか。 B：夜の10時です。	When will the shop close? At ten in the evening.

Point　ここでは「しましょうか？」や「しますか？」は未来を表わします。しかし、お店などが日常的に「何時に開く／閉まる」ということを言いたいときは will ではなく does を使って、When does the shop open / close? となります。

UNIT 32
CD-32

● 場所を聞く

～は、どこですか。

3	1+2
トイレは 地下鉄の駅は タクシー乗り場は 入口は 案内所は	どこですか。

語句を覚えよう！

bathroom/ バスルーム restroom レストルーム	トイレ	ticket office ティケット オフィス	切符売場
subway station サブウェイ　ステーション	地下鉄の駅	boarding gate ボーディング　ゲイト	搭乗ゲート
taxi stand タクシー スタンド	タクシー乗り場	bus stop バス　ストップ	バス乗り場
entrance エントランス	入口	exit エグジット	出口
information インフォメーション 　　　　　desk 　　　　　デスク	案内所	money exchange マネー　イクスチェンジ	両替所

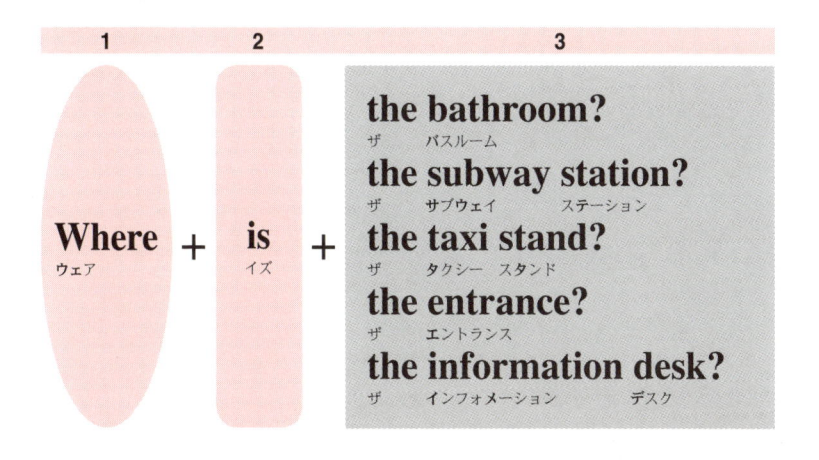

UNIT 32 Where is 〜?
CD-32

1	2	3
Where ウェア	is イズ	the bathroom? ザ バスルーム the subway station? ザ サブウェイ ステーション the taxi stand? ザ タクシー スタンド the entrance? ザ エントランス the information desk? ザ インフォメーション デスク

mini 会話

A：すみません。トイレはどこですか。　　Excuse me. Where is the bathroom?
B：あちらです。　　Over there.
A：ありがとう。　　Thank you.

Point トイレは一般的に toilet とは言わず、bathroom や restroom というのが普通です。旅行先では、いろいろな場所を探すのにも一苦労するものです。場所の名前を表わす重要単語はしっかりと覚えて、Where is 〜？の形で聞く練習をしておきましょう。

UNIT 33　●数を聞く
～は、何人ですか。

CD-33

2+3	1
家族は	
兄弟は	
会社の従業員は	何人ですか。
ニューヨークの人口は	
大学の学生数は	

語句を覚えよう！

family ファミリー	家族	worker ワーカー	労働者
brothers ブラザーズ	兄弟	public official パブリック　オフィシャル	公務員
employee インプロイイー	従業員	population ポピュレーション	人口
people ピープル	人々	man マン	男性
students スチューデンツ	学生	woman ウーマン	女性

UNIT 33 How many 〜?
CD-33

1	2	3
How many ハウ メニー	members メンバーズ	are there in your family? アー ゼア イン ヨア ファミリー
	brothers ブラザーズ	do you have? ドゥ ユー ハヴ
	employees インプロイイーズ	are there in your company? アー ゼア イン ヨア カンパニー
	people ピープル	are there in New York? アー ゼア イン ニュー ヨーク?
	students スチューデンツ	do you have in your college? ドゥ ユー ハブ イン ヨア カレッジ

mini 会話

A：御家族は何人ですか。
How many members are there in your family?

B：5人です。私と夫と子供3人です。あなたは？
Five. My husband, three children and I. How about you?

A：私はおじいさんと私達夫婦3人です。
There are three. my grandfather, my wife and I.

Point 数を聞く表現では、do you have 〜 と are there in 〜 の二つのパターンがあります。家族の1人1人のことを member で表わすのは英語ならではです。members と複数になるところにも注意してください。people は s がなくても複数を表わします。

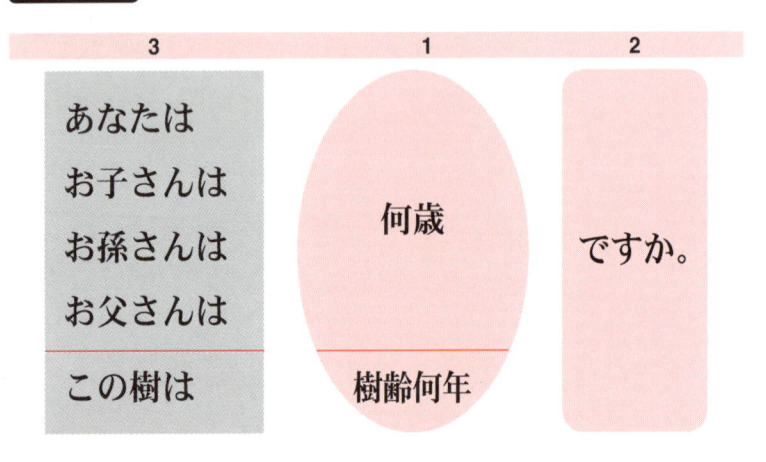

UNIT 34 ●年を聞く
CD-34
〜は、何歳ですか。

3	1	2
あなたは お子さんは お孫さんは お父さんは	何歳	ですか。
この樹は	樹齢何年	

語句を覚えよう！

child チャイルド	子供	grandmother グランドマザー	祖母
grandchild グランドチャイルド	孫	tree トゥリー	樹
father ファーザ	父	building ビルディング	建物
mother マザー	母	new ニュー	新しい
grandfather グランドファーザ	祖父	old オゥルド	古い

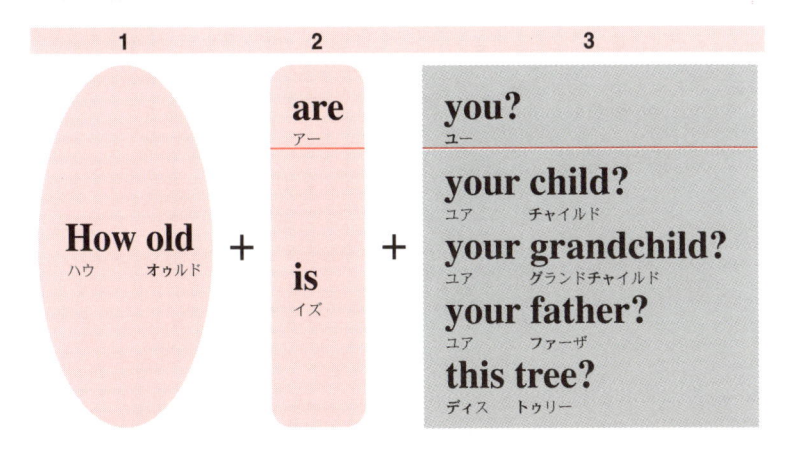

UNIT 34　How old 〜 ?
CD-34

1	2	3
How old ハウ　オゥルド	**are**　アー **is**　イズ	**you?**　ユー **your child?**　ユア　チャイルド **your grandchild?**　ユア　グランドチャイルド **your father?**　ユア　ファーザ **this tree?**　ディス　トゥリー

mini 会話

A：お子さんは何才ですか。　　How old is your child?
B：7才です。　　　　　　　　He's seven years old.
A：あの子は何才かしら。　　　How old is that child?
B：6才です。　　　　　　　　Six years old.

Point　How old are you? と、年齢を聞かれて答えるときは、本来は I'm 25 years old. と years old を付けるのが正式な言い方ですが、省略して、I'm 25. (twenty-five) でも OK です。英語圏でも初対面の女性にいきなり年齢を聞くのは失礼とされていますので、ご注意を！

UNIT 35　●理由を聞く
なぜ〜ですか。

1	2
なぜ	ですか。 間違いなのですか。 遅れたのですか。 （値段が）高いのですか。 あやまらないのですか。

語句を覚えよう！

wrong ロング	間違い	say that セイ　ザット	そう言う
late レイト	遅れる	laugh ラフ	笑う
expensive イクスペンシヴ	（値段が）高い	refuse リフューズ	断る
apologize アポロジャイズ	あやまる	angry アングリー	怒る
think that way シンク　ザット　ウェイ	そう考える	hide ハイド	隠す

UNIT 35 Why 〜?
CD-35

1 Why (ホワイ)

+

2
- is that? (イズ ザット)
- is it wrong? (イズ イット ロング)
- are you late? (アー ユー レイト)
- is it expensive? (イズ イット イクスペンシヴ)
- don't you apologize? (ドント ユー アポロジャイズ)

mini 会話

A：このグラスは 5,000 ドルです。　This glass is 5,000 dollars.
B：なぜ、そんなに高いのですか。　Why is it so expensive?
A：輸入品だからです。　Because it is imported.

Point この文型の場合、英語の文には主語 (that, it , you など) があるのに注意してください。Why で聞かれたら、答えは、Because 〜「なぜなら〜」と始めるのが原則です。例えば、Why are you late? の場合答えは Because I overslept.「寝過ごしてしまったのです。」と理由を言いましょう。英語では理由をはっきりと言わないのは失礼に当たるのです。

UNIT 36 程度を聞く
どのくらい 〜 ですか。

1	4	2	3
どのくらい	ビルは 荷物は 風呂は 電車は あなたは	高い 重い 熱い 速い 背が高い	のですか。

語句を覚えよう！

high ハイ	高い	mountain マウンテン	山
heavy ヘビ	重い	backpack バックパック	リュックサック
hot ホット	熱い	bath バス	風呂
fast ファースト	速い	sports car スポーツ カー	スポーツカー
tall トール	背が高い	big ビッグ	大きい

UNIT 36 How 〜 ?
CD-36

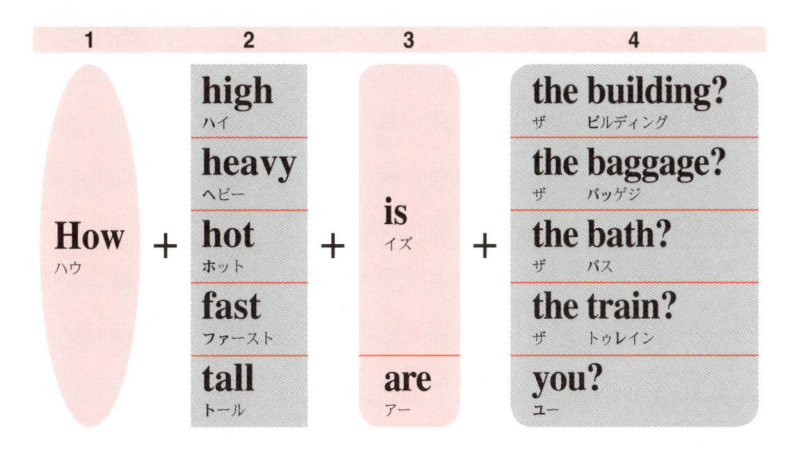

1	2	3	4
	high ハイ		the building? ザ ビルディング
	heavy ヘビー		the baggage? ザ バッゲジ
How ハウ	hot ホット	is イズ	the bath? ザ バス
	fast ファースト		the train? ザ トゥレイン
	tall トール	are アー	you? ユー

mini 会話

A：あのビルの高さはどのくらいですか。　How high is the building?
B：世界で一番高いです。　It's the highest in the world.

A：あなたは、身長はどのくらいですか。　How tall are you?
B：170センチです。　I'm 170 centimeters.

Point ヨーロッパでは日本と同じように長さの単位はセンチメートル (cm) で表しますがアメリカでは inch や foot、mile などが使われます。温度の方は 〜℃ が 〜℉ となり、32℉ は 0℃ を表すので、暑いと勘違いをしないようにしてくださいね。

UNIT 37 ●程度を聞く
CD-37
どのくらい〜（時間が）かかりますか。

1	3	2
どのくらい	ここから ニューヨークまで 空港まで 飛行機で そこまで歩いて	（時間が）かかりますか。

語句を覚えよう！

from here フロム　ヒア	ここから	an hour アン　アワー	1時間
get to New york ゲット トゥ ニューヨーク	ニューヨークに着く	an hour and a half アン　アワー　アンド　ア　ハーフ	1時間半
get to the airport ゲット トゥ ジ　エアポート	空港に着く	half a day ハーフ　ア　デイ	半日
by airplane バイ　エアプレイン	飛行機で	a whole day ア　ホール　デイ	まる1日
walk there ウォーク　ゼア	そこまで歩く	a few minutes ア　フュー　ミニッツ	数分

UNIT 37　How long does it take 〜?

CD-37

1	2	3
How long ハウ　ロング	**does it take** ダズ　イット　テイク	**from here?** フロム　ヒア **to get to New York?** トゥ　ゲット　トゥ　ニューヨーク **to get to the airport?** トゥ　ゲット　トゥ　ジ　エアポート **by airplane?** バイ　エアプレイン **to walk there?** トゥ　ウォーク　ゼア

mini 会話

A：東京からロスまでどのくらい時間がかかりますか。
How long does it take from Tokyo to Los Angeles?

B：約 9 時間です。
It takes about 9 hours.

A：エコノミー症候群には注意してください。
Watch out for economy-class syndrome.

Point　「時間がかかる」という表現は it takes を使います。「どのくらい（時間の長さ）」は How long 〜? ですから、How long does it take 〜? という表現を覚えましょう。答え方は It takes 〜（かかる時間）. となります。to get to New York の get は「着く」。

UNIT 38　■相手に尋ねる
〜は、何ですか。

2		1
これ / 趣味 / 専攻 / お名前 / 電話番号	は	何ですか。

語句を覚えよう！

favorite pastime フェイバリット パスタイム	趣味	today's special トゥディズ スペシャル	今日のおすすめ
major メイジャー	専攻	this dish ディス ディッシュ	この料理
name ネイム	名前	today's weather forecast トゥディズ ウェザー フォーキャスト	今日の天気
phone number フォン ナンバー	電話番号	cellular phone number セルラー フォン ナンバー	携帯電話番号
fax number ファックス ナンバー	ファックス番号	job ジョブ	職業

UNIT 38 What is ～?

CD-38

1	2
What is ワット　　　イズ ＋	**this?** ディス **your favorite pastime?** ユア　　　フェイバリット　　　パスタイム **your major?** ユア　　　メイジャー **your name?** ユア　　　ネイム **your phone number?** ユア　　　フォン　　　ナンバー

mini 会話

A：趣味は何ですか。　　　　　What is your favorite pastime?
B：スポーツです。サッカー　　It's sports. I love soccer.
　　が大好きです。
A：私は、映画と旅行が大好き　I love movies and traveling.
　　です。

Point 趣味は hobby と覚えている人も多いと思いますが、hobby は何かのコレクションや、ある程度熟練を必要とするようなものを表わすので、本を読むことや、寝ることなど、休日や自由時間にすることという意味での趣味は、favorite pastime を使う方がピッタリです。

UNIT 39 ■比較
CD-39 どちらが ～ ですか。

1	3	2
どちらが	便利 いい 寒い お好き 欲しい	ですか。

語句を覚えよう！

useful ユースフル	便利な	interesting インタレスティング	おもしろい
good グッド	いい	pleasant プレザント 　　to live in 　　トゥ リヴ イン	住みやすい
cold コゥルド	寒い	want to eat ウォント トゥ イート	食べたい
like ライク	好き	whichever ウィッチエヴァー	どちらでも
want ウォント	欲しい	hot ホット	暑い

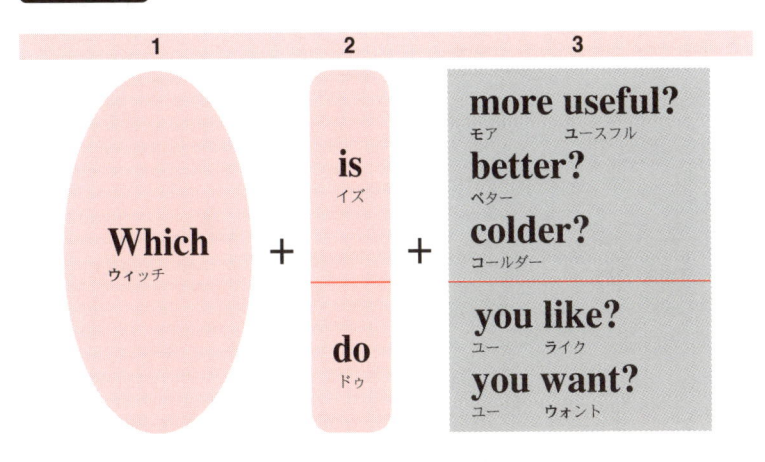

UNIT 39　Which 〜 ?
CD-39

1	2	3
Which ウィッチ	is イズ / do ドゥ	more useful? モア　ユースフル better? ベター colder? コールダー you like? ユー　ライク you want? ユー　ウォント

mini 会話

A：どちらがお好きですか。 B：こちらをください。	Which do you like better? I'll take this one.
A：東京とニューヨークではどちらが住みやすいですか。 B：ニューヨークです。	Which is more pleasant to live in, Tokyo or New York? New York.

Point　比較の形は大きく分けて2つあります。1）普通の形に er をつけるもの、例：cheap → cheaper または、2）長い単語になると more を付けて more useful という形になります。例外的に、good などは better となって形がまったく変わるので、よく使う単語は要注意。辞書で調べて見ましょう！

UNIT 40
CD-40

● 種類の好みを聞く
どんな種類の〜が好きですか。

1	2	3
どんな種類の	服が スポーツが 色が 料理が 飲み物が	（あなたは）好きですか。

語句を覚えよう！

clothes クロウズ	服	red レッド	赤い
sports スポーツ	スポーツ	black ブラック	黒い
color カラー	色	blue ブルー	青い
food フード	食べ物	green グリーン	緑の
beverage ベヴァレッジ	飲み物	white ワイト	白い

UNIT 40 What kind of 〜 do you like?

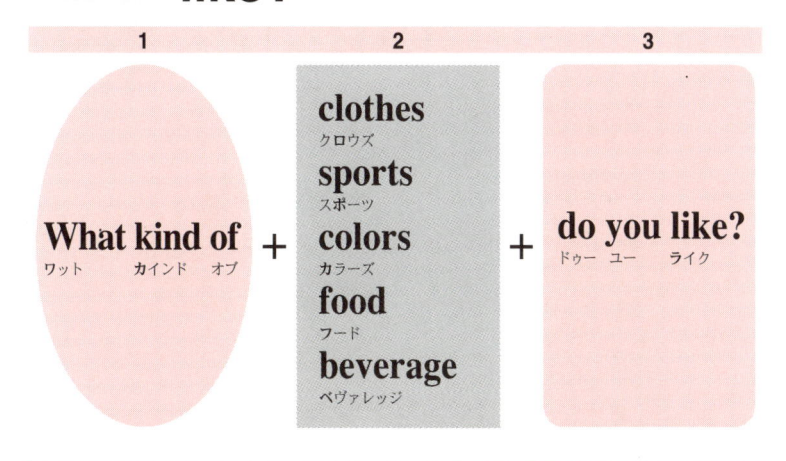

CD-40

1	2	3

What kind of
ワット　カインド　オブ

＋

clothes
クロウズ
sports
スポーツ
colors
カラーズ
food
フード
beverage
ベヴァレッジ

＋

do you like?
ドゥー　ユー　ライク

mini 会話

A：どんな服が好きですか。　　What kind of clothes do you like?

B：白色でシンプルなTシャツが好きです。　　I like plain white T-shirts.

A：私もです。　　Me, too.

Point kind of は、「種類の」という意味で、内容が具体的になります。好みの聞き方は、スポーツや、食べ物だけでなく、音楽(music)や映画(movie)などにも使えます。ただし、初対面の人に、宗教のことや、政治の好みなどを聞くのはタブーとされていますので、気をつけてください。beverageは、コーヒーとかビールとか、水以外の飲みものをいいます。

UNIT 41 CD-41
● 「伺う」時の表現
～は、いかがですか／いかがでしたか。

2
旅行は
昼食は
調子は
お仕事は
市内観光は

1
いかがですか。
いかがでしたか。

語句を覚えよう！

tour ツアー	旅行	Cajun food ケイジャン　フード	ケイジャン料理
lunch ランチ	昼食	Japanese food ジャパニーズ　フード	日本料理
everything エヴリシング	調子（すべてのこと）	Mexican food メキシカン　フード	メキシコ料理
work ワーク	仕事	French food フレンチ　フード	フランス料理
sightseeing サイトシーイング　around town アラウンド　タウン	市内観光	Italian food イタリアン　フード	イタリア料理

UNIT 41　How is / was 〜 ?
CD-41

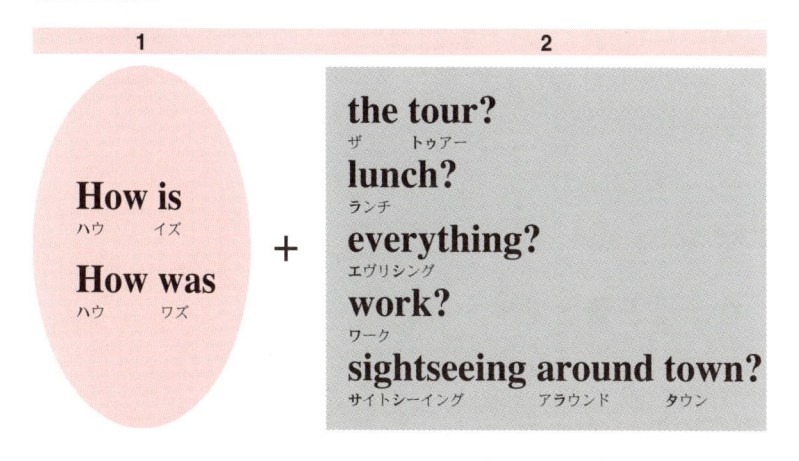

1

How is
ハウ　イズ

How was
ハウ　ワズ

＋

2

the tour?
ザ　トゥアー

lunch?
ランチ

everything?
エヴリシング

work?
ワーク

sightseeing around town?
サイトシーイング　　　アラウンド　　タウン

mini 会話

A：お茶の味はいかがですか。　　　How's the tea?
B：おいしいです。　　　　　　　　It's very good.

A：最近、お仕事はいかがですか。　How's work recently?
B：まあまあです。　　　　　　　　Just okay.

Point　海外での楽しみはなんと言っても本場の料理です。アメリカ南部の代表的料理であるケイジャン料理などを、自分で食べて見る前に、「どうだった？」と聞きたいときは、How was Cajun food? と聞いてみましょう。It was delicious!「とっても美味しかった！」とお墨付きがあれば試してみる価値ありですね。

UNIT 42　依頼する時
CD-42

（あなたは）～してくれませんか。

2	1
写真を撮って （シャッターの）ボタンを押して 荷物を持って ちょっと待って もうちょっとゆっくり話して	（あなたは）くれませんか。

語句を覚えよう！

take a picture テイク ア ピクチャー	写真を撮る	pull プル	引っぱる
press the button プレス ザ バトゥン	（シャッターの）ボタンを押す	push プッシュ	押す
carry the baggage キャリー ザ バゲッジ	荷物を持つ	close the window クロウズ ザ ウィンドウ	窓を閉める
wait ウェイト	待つ	open the door オゥプン ザ ドア	ドアを開ける
speak more slowly スピーク モア スロウリー	ゆっくり話す	say that again セイ ザット アゲイン	それをもう一度言う

UNIT 42 Would you ～ ?
CD-42

Would you (ウジュ) **+**
- take a picture? テイク ア ピクチャー
- press the button? プレス ザ バトゥン
- carry the baggage? キャリー ザ バゲッジ
- wait for a moment? ウェイト フォー ア モーメント
- speak more slowly? スピーク モア スロウリー

mini 会話

A：すみません、カメラのシャッターを押してくれませんか。
Excuse me. Would you please take our picture?

B：どこを押すのですか。
Where should I press?

A：そのボタンを押すだけです。
Just press the button.

Point　「～してください。」は Please ～ だけでも間違いではありませんが、初めて会う人に何か頼みごとをするときには、より丁寧なこの表現か、さらに please をつけた Would you please ～ を使いましょう。話し掛けるときの Excuse me. も忘れないこと。

UNIT 43 CD-43 ●必要の表現
〜しなければなりません。

1	4	3	2
私は	7時20分までにそこへ	行か	なければなりません。
	5時までに空港へ	行か	
	すぐに	出発し	
	次のバスに	乗ら	
	明日国に	帰ら	

語句を覚えよう！

by seven-twenty バイ セヴン トゥウェンティ	7時20分までに	the day after tomorrow ザ デイ アフター トゥモロウ	あさって
by five o'clock バイ ファイブ オクロック	5時までに	yesterday イエスタデイ	昨日
right away ライト アウェイ	すぐに	this week ディス ウィーク	今週
tomorrow トゥモロー	明日	next week ネクスト ウィーク	来週
today トゥデイ	今日	next year ネクスト イアー	来年

UNIT 43 CD-43
I have to ～.

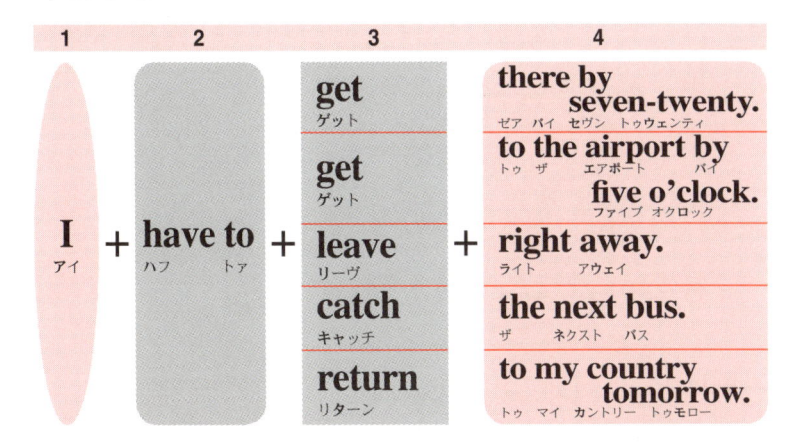

1	2	3	4
I アイ	**have to** ハフ トァ	**get** ゲット	**there by seven-twenty.** ゼア バイ セヴン トゥウェンティ
		get ゲット	**to the airport by five o'clock.** トゥ ザ エアポート バイ ファイブ オクロック
		leave リーヴ	**right away.** ライト アウェイ
		catch キャッチ	**the next bus.** ザ ネクスト バス
		return リターン	**to my country tomorrow.** トゥ マイ カントリー トゥモロー

mini 会話

A：7時までにそこへ行かなければなりません。　　I have to get there by seven.
そこで彼女に会う予定なので。　　I'm going to meet her there.
B：気をつけて。　　Take care.

Point have to ～ の発音が「ハフトァ」となるので注意しましょう。5時は five o'clock ですが、o'clock は省略しても大丈夫。また、この o'clock は5時（何時でも）ちょうどの時にしか付けません。ですから、7時20分ちょうどでも seven-twenty となるのです。

UNIT 44 CD-44 ●「教えてほしい」時の表現
〜を、教えてください。

2

ホテルへどうやって行くのか
ドアをどうやって開けるのか
これを英語で何と言うのか
これを英語でどう発音するのか
事件がどうして起きたのか

1

教えてください。

語句を覚えよう！

get to the hotel ゲット トゥ ザ ホテル	ホテルへいく	turn to the right ターン トゥ ザ ライト	右へ曲がる
open the door オゥプン ザ ドア	ドアを開ける	turn to the left ターン トゥ ザ レフト	左へ曲がる
say in English セイ イン イングリッシュ	英語で言う	go straight ゴー ストレイト	まっすぐ行く
pronounce in English プロナウンス イン イングリッシュ	英語で発音する	in front of the building イン フロント アブ ザ ビルディング	ビルの前で
accident happened アクシデント ハップンド	事件が起きた	at the back of the door アット ザ バック アブ ザ ドア	ドアの後ろで

UNIT 44 Would you tell me 〜 ?
CD-44

1

Would you
ウジュ
tell me
テル　ミー

+

2

how to get to the hotel?
ハウ　トゥ　ゲット　トゥ　ザ　ホテル
how to open the door?
ハウ　トゥ　オウプン　ザ　ドア
how you say this in English?
ハウ　ユー　セイ　ディス　イン　イングリッシュ
how you pronounce this in English?
ハウ　ユー　プロナウンス　ディス　イン　イングリッシュ
how the accident happened?
ハウ　ジ　アクシデント　ハップンド

mini 会話

A：ホテルへ行く道を教えてください。
B：この道をまっすぐ行って、右側です。

Would you tell me how to get to the hotel?
Go straight along this street, and it's on your right.

Point　「教える」は teach じゃないの？と思っていた方もいるかもしれませんが、「勉強や技術を教える」という意味に当たるのが teach なので、この場合は、情報のようなことを「教える」という意味の tell を使います。「どのように〜するか」は、「how 〜」の形と覚えてください。

UNIT 45　● 提案の表現
CD-45

～しましょう。

2　　　　　　　　　　**1**

食事に行き
お茶にし
デートし
ショッピングに行き
ちょっとお話し

ましょう。

語句を覚えよう！

eat out イート アウト	食事に行く	go to a karaoke bar ゴウ トゥ ア カラオケ バー	カラオケに行く
get something to drink ゲット サムシング トゥ ドリンク	お茶を飲む	have fun ハヴ ファン	楽しむ
go on a date ゴウ オン ア デイト	デートをする	study together スタディー トゥゲザー	一緒に勉強する
go shopping ゴウ ショッピング	ショッピングに行く	go back to Japan ゴウ バック トゥ ジャパン	日本に帰る
talk for a minute トーク フォー ア ミニット	ちょっと話する	go to my room ゴウ トゥ マイ ルーム	私の部屋に来る

UNIT 45　Let's 〜.
CD-45

1　**2**

Let's
レッツ
+
eat out.
イート　アウト
get something to drink.
ゲット　サムシング　　　　トゥ　ドリンク
go on a date.
ゴウ　オン　ア　デイト
go shopping.
ゴウ　ショッピング
talk for a minute.
トーク　フォー　ア　ミニット

mini 会話

A：食事に行きましょう。　　　Let's eat out.
B：何を食べましょうか。　　　What should we eat?
A：ステーキはどう？　　　　　How about steak?
B：簡単な軽いものにしま　　　Let's have something light,
　　しょう。　　　　　　　　instead.

Point　Let's はもともと Let us の短縮形ですが、後者は日常会話ではほとんど使いませんので、このまま覚えましょう。日本語で「お茶しましょう。」に当たる英語は「お茶」だからといって tea を使わず、「何か飲みましょう。」と言うのが自然です。

UNIT 46 ●方法の尋ね方
CD-46
どうやって～するのですか。

1	2	3

どうやって + 公衆電話をかける / プラザホテルへ行く / タクシーを拾う / 自動販売機で買う / 英語を勉強する + のですか。

語句を覚えよう！

use a pay phone ユーズ ア ペイフォン	公衆電話をかける	save money セイヴ マネー	お金を貯める
go to the hotel ゴー トゥ ザ ホテル	ホテルへ行く	apply アプライ	申し込む
get a taxi ゲット ア タクシー	タクシーを拾う	order オーダー	注文する
use a vending machine ユーズ ア ヴェンディング マシーン	自動販売機で買う	buy a ticket バイ ア チケット	切符を買う
study English スタディー イングリッシ	英語を勉強する	get in touch with ～ ゲット イン タッチ ウィズ～	連絡をとる

UNIT 46　How can I 〜 ?
CD-46

1+3	2
How can I ハウ キャン アイ +	use a pay phone? ユーズ ア ペイ フォン go to the Plaza Hotel? ゴー トゥ ザ プラザ ホテル get a taxi? ゲッ ト ア タクシー use a vending machine? ユーズ ア ヴェンディング マシーン study English? スタディー イングリッシュ

mini 会話

A：どうやって公衆電話をかけるの？
How can I use a pay phone?

B：25セントコインを入れてから、番号を押します。
Put a quarter in the slot and push the phone number.

Point　所変われば…で、日本では常識的なことでも、海外では勝手が違うことがたくさんあるはず。日本では駅の自動切符売り場でお釣りが出るのがあたりまえですが、ちょうどの金額を入れないとお釣りが戻ってこないというようなこともあるようですよ。アメリカでは25セントコインをa quarter（4分の1ドルの意味）と呼びます。

UNIT 47 ●依頼
CD-47
どうぞ〜してください。

1	2
どうぞ	急いでください。 ここで止まってください。 お釣はとっておいてください。 空港へ行ってください。 救急車を呼んでください。

語句を覚えよう！

hurry up ハリー アップ	急ぐ	get off ゲット オフ	降りる
stop here ストップ ヒア	ここで止まる	help me ヘルプ ミー	助ける
keep the change キープ ザ チェンジ	お釣をとる	come in カム イン	入る
go to the airport ゴウ トゥジ エアポート	空港へ行く	relax リラックス	くつろぐ
call an ambulance コール アン アンビュランス	救急車を呼ぶ	take a rest テイク ア レスト	休む

UNIT 47 CD-47
Please 〜.

Please
プリーズ

+

hurry up.
ハリー　アップ

stop here.
ストップ　ヒア

keep the change.
キープ　ザ　チェンジ

go to the airport.
ゴウ　トゥ　ジ　エアポート

call an ambulance.
コール　アン　アンビュランス

mini 会話

A：時間がありません。どうぞ急いでください。
We don't have much time. Please hurry up.

B：それは大変だ。すぐに空港へ行ってください。
Oh, no! Take us to the airport right away.

Point Please は最初に付けても良いのですが、文の後に〜, please. と付けても OK です。特に緊急の場合などは、シンプルな形でストレートに言った方が伝わりやすいです。でも Please ばかりに頼らず他の表現もきちんと使いこなせるようにしましょう。

UNIT 48 CD-48

■タクシーの中で

〜で降ります。

2		1
ここ 次の信号 次の交差点 角のところ 次のブロック	で	降ります。

語句を覚えよう！

here ヒア	ここで	it's the wrong way イッツ ザ ロング ウェイ	道が違う
at the next signal アット ザ ネクスト シグナル	次の信号で	traffic jam トラフィック ジャム	交通渋滞
at the next crossing アット ザ ネクスト クロッシング	次の交差点で	make a detour メイク ア ディートア	迂回する
around the corner アラウンド ザ コーナー	角のところで	the road is crowded ザ ロード イズ クラウディド	道路が混雑する
at the next block アット ザ ネクスト ブロック	次のブロックで	traffic accident トラフィック アクシデント	交通事故

UNIT 48 CD-48 I'll get out 〜．

1	2

I'll get out
アイル ゲット アウト

+

here.
ヒア
at the next signal.
アット ザ ネクスト シグナル
at the next crossing.
アット ザ ネクスト クロッシング
around the corner.
アラウンド ザ コーナー
at the next block.
アット ザ ネクスト ブロック

mini 会話

A：ここで降ります。いくらですか？
I'll get out here. How much is it?

B：はい、9ドルです。
All right. It'll be 9 dollars.

A：お釣りはとっておいてください。
Please keep the change.

Point タクシーから降りる場合がこの表現。バスやエレベーターから降りる場合は get off 〜を使うので注意しましょう。アメリカでは、タクシーのチップが料金の約 10 〜 15 パーセントと言われていますので、もし料金が 9 ドルだったら、Please keep the change.「お釣りは取っておいてください。」と言ってチップを渡すことができればスマートですね。

UNIT 49 — 目的地を探す
CD-49

私は 〜 を探しています。

| 私は | 喫茶店 / 自分の部屋 / 警察署 / スーパー / ブティック | を | 探しています。 |

単語を覚えよう！

英語	日本語	英語	日本語
coffee shop コーフィ ショップ	喫茶店	hair salon ヘア サロン	美容院
my room マイ ルーム	自分の部屋	barber shop バーバー ショップ	理髪店
police station ポリース ステイション	警察署	nightclub ナイトクラブ	ナイトスポット
supermarket スーパーマーケット	スーパーマーケット	market place マーケット プレイス	市場
boutique ブティーク	ブティック	information center インフォメーション センター	案内所

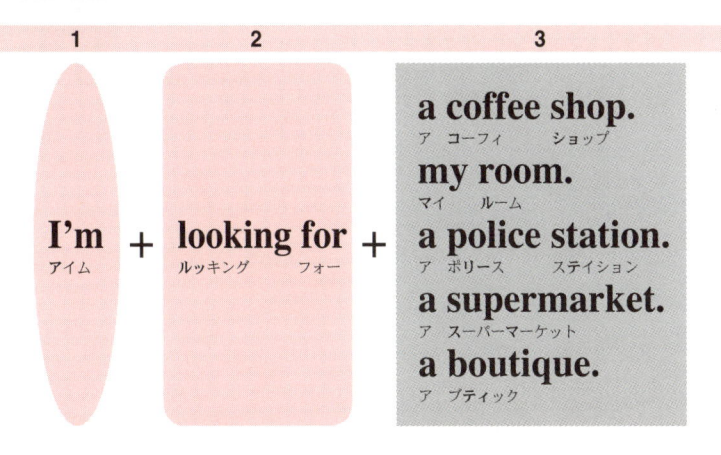

UNIT 49 CD-49 I'm looking for 〜.

1	2	3
I'm アイム	**looking for** ルッキング　フォー	**a coffee shop.** ア　コーフィ　ショップ **my room.** マイ　ルーム **a police station.** ア　ポリース　ステイション **a supermarket.** ア　スーパーマーケット **a boutique.** ア　ブティック

mini 会話

A：私は、喫茶店を探しているのですが。　I'm looking for a coffee shop.

B：この道沿いの右側にありますよ。　There's one on this street. It's on the right.

Point 日本でも普通の「喫茶店」なのに、「カフェ」という呼び方をするのがトレンドになっているようです。英語でも、coffee shop という言葉が本来は一般的なのですが、cafe という言葉も以前に比べると多く使われるようになってきたようです。

UNIT 50　嗜好を尋ねる時
～は、好きですか。

2		1
スポーツ 映画 サッカー 音楽 犬	は	好きですか。

語句を覚えよう！

sports スポーツ	スポーツ	jogging ジョギング	ジョギング
movies ムーヴィーズ	映画	karaoke カラオケ	カラオケ
soccer サッカー	サッカー	hiking ハイキング	ハイキング
music ミュージック	音楽	reading リーディング	読書
dogs ドッグズ	犬	cats キャッツ	猫

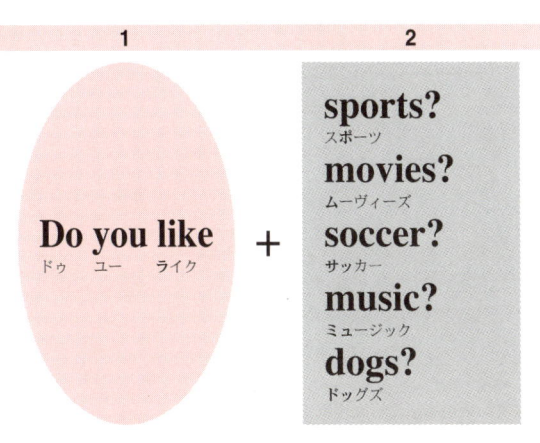

UNIT 50　Do you like ～?

CD-50

1　Do you like
ドゥ ユー ライク

＋

2
sports?
スポーツ
movies?
ムーヴィーズ
soccer?
サッカー
music?
ミュージック
dogs?
ドッグズ

mini 会話

A：映画は好きですか。　　　　　Do you like movies?
B：大好きです。あなたは？　　　I love them. How about you?
A：私も好きです。　　　　　　　Me, too.
B：どんな映画が好きなんですか。　What kind of movies do you like?
A：ミステリーが好きです。　　　I like mystery.

Point　映画、音楽、犬などの名詞の場合はそのままでいいのですが、読書やハイキングなどは動詞を～ ing の形にしなければなりません。そうすると、「～すること」という意味になります。「スポーツ観戦」だったら観ることですから、watching sports となるわけです。

UNIT 51 CD-51
■嗜好の表現
私は〜が好きです／嫌いです。

1	3		2
私は	麺類 鮮魚 肉 野菜 油物	が	好きです。 嫌いです。

語句を覚えよう！

noodles ヌードルズ	麺類	diet food ダイエット フード	ダイエット食品
fish フィッシュ	鮮魚	spicy food スパイシィ フード	辛いもの
meat ミート	肉	sweets スウィーツ	甘いもの
vegetables ヴェジタブルズ	野菜	lightly seasoned food ライトリー シーズンド フード	さっぱりした味付けの食べ物
greasy food グリーシー フード	油物	fruits フルーツ	果物

UNIT 51
CD-51

I like / don't like 〜.

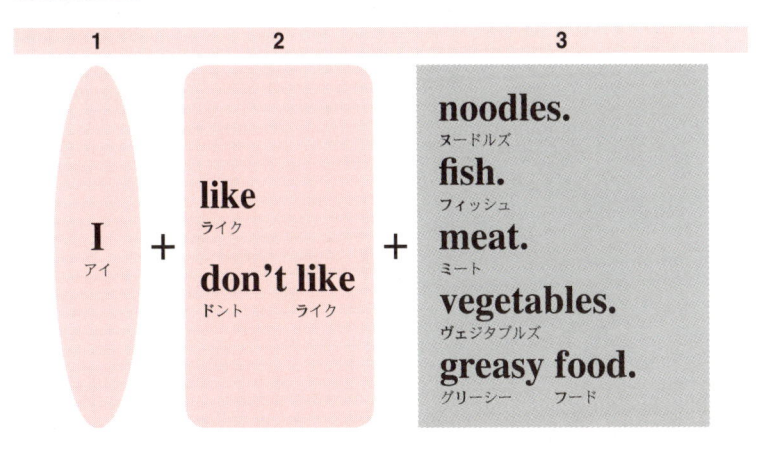

1	2	3
I アイ	like ライク don't like ドント　ライク	noodles. ヌードルズ fish. フィッシュ meat. ミート vegetables. ヴェジタブルズ greasy food. グリーシー　フード

mini 会話

A：食べ物は何が好きですか。　What kind of food do you like?
B：肉料理が好きです。　　　　I like meat dishes.
A：私は肉は嫌いです。　　　　I don't like meat.
　　野菜が好きです。　　　　　I like vegetables.

Point 買い物をするときなどの「〜がほしい」という表現はUnit23の I'd(would) like 〜. でしたよね。would を付けないと、一般的に「好きなもの」についての表現となります。I like fish. But I'd like a meat dish now.「私は魚が好きなのだけど、今は肉料理が食べたいです。」と言うと、その違いがわかりますね。

UNIT 52
CD-52

● 「見たい」と頼む時
〜を見せてください。

2	1
あれを 安い方を 大きい方を 小さい方を これを全部	見せてください。

語句を覚えよう！

that ザット	あれ	the different one ザ ディファレント ワン	別のもの
the cheaper one ザ チーパー ワン	もっと安いもの	the flashy one ザ フラッシー ワン	派手なもの
the bigger one ザ ビガー ワン	もっと大きいもの	the quiet one ザ クワイエット ワン	地味なもの
the smaller one ザ スモーラー ワン	もっと小さいもの	the elegant one ザ エレガント ワン	上品なもの
all of these オール アブ ディーズ	これを全部	the good one ザ グッド ワン	いいもの

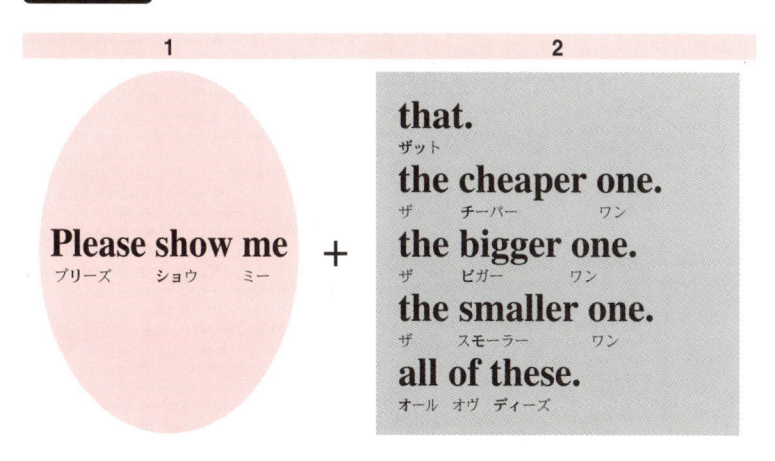

UNIT 52　Please show me 〜．

CD-52

Please show me
ブリーズ　ショウ　ミー

\+

that.
ザット
the cheaper one.
ザ　チーパー　ワン
the bigger one.
ザ　ビガー　ワン
the smaller one.
ザ　スモーラー　ワン
all of these.
オール　オヴ　ディーズ

mini 会話

A：安い方を見せてください。　　Please show me the cheaper one.
B：はい、どうぞ。　　Here you are.
A：もっといいものを見せてください。　　Please show me the better one.

Point　いい買い物をするための必須表現。ブランド物の洋服やアクセサリーなど、高価な買い物のときは、やはり手にとって見てみたいもの。店員に遠慮なく聞きましょう。また、ウインドウなどに飾られていないものもあるはずですから、この表現を上手に使って、賢い買物をしましょう。

UNIT 53
CD-53

● ていねいに「見たい」と頼む時
〜を見せていただけますか。

2

パンフレット
カタログ
見本
今日の新聞
中味

を

1

見せていただけますか。

語句を覚えよう！

brochure ブロシュアー	パンフレット	magazine マガジン	雑誌
catalog カタログ	カタログ	check チェック	伝票
sample サンプル	見本	bill ビル	請求書
today's paper トゥデイズ　ペイパー	今日の新聞	city map シティ　マップ	市内地図
contents コンテンツ	中味	timetable タイムテイブル	時刻表

UNIT 53　Would you show me 〜 ?
CD-53

1　Would you show me
ウジュ　ショウ ミー

+

2
the brochure?
ザ　ブロシュアー
the catalog?
ザ　カタログ
the sample?
ザ　サンプル
today's paper?
トゥデイズ　ペイパー
the contents?
ザ　コンテンツ

mini 会話

A：パンフレットを見せていただけますか。
Would you show me the brochure, please?

B：すみません。今、ここにはありません。
Sorry. We don't have any now.

Point　Would you 〜 ? は何かを丁寧にお願いするときに使います。店員などとの会話では Please 〜 . でかまわないですが、知らない人に頼むときなどは、丁寧にお願いする方が相手も快く見せてくれるはずです。

119

UNIT 54
能力を聞く表現
〜ができますか。

2		1
日本語を話すこと 英語を話すこと 漢字を書くこと 水泳 車の運転	が	（あなたは） できますか。

語句を覚えよう！

speak Japanese スピーク　ジャパニーズ	日本語を話す	sing シング	歌う
speak English スピーク　イングリッシュ	英語を話す	play the guitar プレイ　ザ　ギター	ギターを弾く
write Chinese characters ライト　チャイニーズ　キャラクターズ	漢字を書く	dance ダンス	踊る
swim スウィム	水泳をする	speak Spanish スピーク　スパニッシュ	スペイン語を話す
drive ドライヴ	車を運転する	play golf プレイ　ゴルフ	ゴルフをする

UNIT 54　Can you 〜 ?

Can you (キャン ユー) +
- speak Japanese? (スピーク ジャパニーズ)
- speak English? (スピーク イングリッシュ)
- write Chinese characters? (ライト チャイニーズ キャラクター)
- swim? (スウィム)
- drive? (ドライヴ)

mini 会話

A：日本語を話すことができますか。	Can you speak Japanese?
B：いえ、できません。	No, I can't.
A：何語を話せますか。	What language can you speak?
B：英語とスペイン語です。	I speak English and Spanish.

Point　初めて会った時には趣味の話などをするのが会話をもり上げるコツと言えるかもしれません。話題作りに役に立つ質問を、たくさん持ってるといいですね。

UNIT 55 ●可能／不可能の表現
私は〜ができる／できない。

1	3		4	2
私は	フランス語を話す / イタリア語を書く / パソコンを使う	ことが	少し	できます。
	韓国語を話す / メールを送る		全然	できません。

語句を覚えよう！

French フレンチ	フランス語	a little ア リトル	少し
Italian イタリアン	イタリア語	well ウェル	上手に
Korean コリアン	韓国語	slowly スローリィ	ゆっくり
computer コンピューター	パソコン	by myself バイ マイセルフ	ひとりで
e-mails イーメイルズ	イーメール	easily イージリィ	簡単に

UNIT 55 I can / can't ～ .

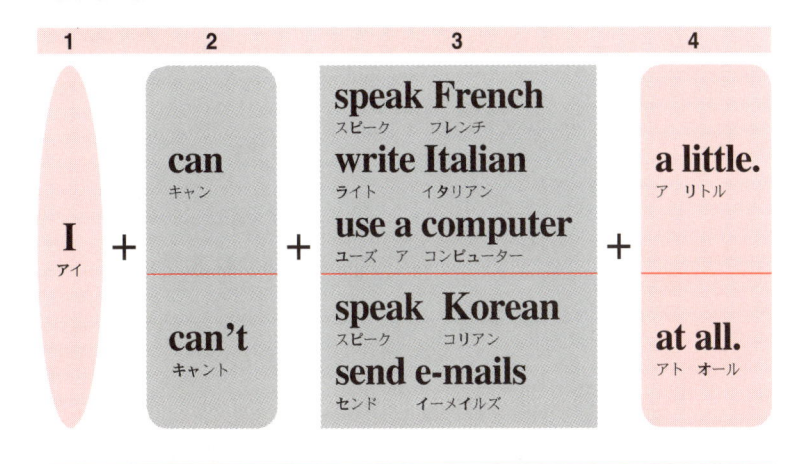

CD-55

1	2	3	4
I アイ	can キャン	speak French スピーク フレンチ / write Italian ライト イタリアン / use a computer ユーズ ア コンピューター	a little. ア リトル
	can't キャント	speak Korean スピーク コリアン / send e-mails センド イーメイルズ	at all. アト オール

mini 会話

A：英語は話せますか。　　　Can you speak English?
B：はい。少しできます。　　Yes, I can speak it a little.
A：じゃ、英語で話しましょう。Let's talk in English, then.
B：ゆっくり話してください。　Please speak slowly.

Point Can you speak English? と聞かれて、日本人はよく No. と言うそうです。No. って英語なのになぜ？という冗談があるほどです。謙遜せずに、少しでも話せるのなら、Yes, I can speak it a little. と言って頑張って会話をしてみましょう！

UNIT 56
CD-56

● 許諾を得る時
〜していいですか。

2
トイレをお借りして
これを試着して
お名前をお伺いして
写真を撮って
これをいただいて

1
（私が）
いいですか。

語句を覚えよう！

use the bathroom ユーズ ザ バスルーム	トイレを借りる	enter エンター	中に入る
try this on トライ ディス オン	これを試着する	have one's name ハブ ワンズ ネーム	名前を伺う
ask your name アスク ユア ネイム	あなたの名前を聞く	go with you ゴウ ウィズ ユー	ご一緒する
take a picture テイク ア ピクチャー	写真を撮る	sit here シット ヒア	ここに座る
take this テイク ディス	これを貰う（いただく）	smoke here スモウク ヒア	ここでたばこを吸う

124

UNIT 56 May I 〜 ?

May I +
- use the bathroom?
- try this on?
- ask your name?
- take a picture?
- take this?

mini 会話

A：トイレをお借りしてもいいですか。
May I use the bathroom?

B：どうぞ、あちらです。
Go ahead. It's over there.

A：写真を撮ってもいいですか。
May I take a picture?

B：すみませんが、駄目です。
I'm sorry, but please don't do that.

Point　「借りる」borrow という動詞は、本や消しゴムなど、何か手渡しができるようなものを借りるという意味があります。トイレは借りて持って帰ることはできませんから、use「使う」という動詞を使うわけです。

UNIT 57
CD-57

● 禁止の表現
〜しないでください。

2	1
それに触れ 私に近寄ら パスポートを忘れ 大声でしゃべら 生水は飲ま	ないでください。

語句を覚えよう！

touch it タッチ イット	それに触る	run ラン	走る
come close to me カム クロウス トゥ ミー	私に近寄る	stop ストップ	立ち止まる
forget the passport フォーゲット ザ パスポート	パスポートを忘れる	rush ラッシュ	慌てる
talk loudly トーク ラウドリィ	大声でしゃべる	get lost ゲット ロスト	道に迷う
drink the tap water ドリンク ザ タップ ウォーター	生水を飲む	fight ファイト	ケンカする

UNIT 57 (Please) Don't 〜 .
CD-57

(Please) Don't +
- touch it.
- come close to me.
- forget the passport.
- talk loudly.
- drink the tap water.

mini 会話

A：わたしに触らないでください。 Don't touch me.
B：ごめんなさい。 I'm sorry.

A：大声で喋らないでください。 Don't talk loudly. Because
子どもが寝ていますので。 my baby is sleeping.

Point Don't 〜 の表現は言い方によって、「〜するな！」と強い調子にも聞こえますし、やさしく言えば、「〜してください。」というニュアンスになるので、言い方に注意をしてください。ときには強く言わなくてはいけないこともありますよね。

UNIT 58
CD-58

● 希望を伝える表現
〜をお願いします。

1		2
両替 お勘定（お支払い） 生ビール 日本へ国際電話 チェックアウト	を	お願いします。

語句を覚えよう！

exchange money エクスチェンジ　マネー	両替	room service ルーム　サービス	ルームサービス
check チェック	勘定	hotel reservation ホテル　レザヴェーション	ホテルの予約
draft beer ドラフト　ビーア	生ビール	change the reservation チェンジ　ザ　レザヴェーション	予約の変更をする
international call to Japan インターナショナル　コール　トゥ　ジャパン	日本への国際電話	cancel the reservation キャンセル　ザ　レザヴェーション	予約の取消をする
check out チェック　アウト	チェックアウト	to the airport トゥジ　エアポート	空港まで

UNIT 58
CD-58

～, please.

1

Exchange money,
エクスチェンジ　マネー

Check,
チェック

Draft beer,
ドラフト　ビーア

International call to Japan,
インターナショナル　　　　コール　トゥ　ジャパン

Check out,
チェック　アウト

+

2

please.
プリーズ

mini 会話

A：両替をお願いします。今日のレートはいくらですか。 — Exchange money, please. What's the exchange rate today?
B：1ドルが103円です。 — 103 yen to the dollar.
A：高い！ — Oh, the yen is strong.

Point これは超簡単な依頼の万能表現。しかしこれは、きちんと文を作ることが出来ないときのお助け表現なので、普段からなるべくきちんとした文章の英語を使う努力をしましょう。

UNIT 59 希望を聞く表現
(あなたは)〜したいですか。

野球を見
ミュージカルに行き
ニューヨークへ行き
日本へ行き
地元の料理を食べ

(あなたは)
たいですか。

単語を覚えよう！

watch a baseball game ウォッチ ア ベイスボール ゲイム	野球を見る	travel overseas トラヴェル オーバーシーズ	海外旅行
go to a musical ゴウ トゥ ア ミュージカル	ミュージカルに行く	domestic tour ドメスティック トゥアー	国内旅行
go to New York ゴウ トゥ ニューヨーク	ニューヨークへ行く	the East Coast ジ イースト コウスト	(アメリカの)東海岸
go to Japan ゴウ トゥ ジャパン	日本へ行く	the West Coast ザ ウェスト コウスト	(アメリカの)西海岸
eat the local food イート ザ ローカル フード	地元の料理を食べる	Canada キャナダ	カナダ

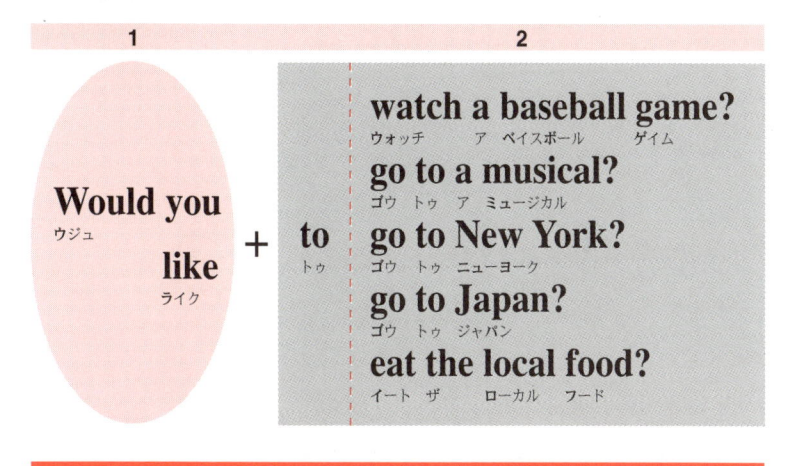

UNIT 59　Would you like to 〜 ?
CD-59

Would you like (ウジュ ライク) + **to** (トゥ)
- watch a baseball game? (ウォッチ ア ベイスボール ゲイム)
- go to a musical? (ゴウ トゥ ア ミュージカル)
- go to New York? (ゴウ トゥ ニューヨーク)
- go to Japan? (ゴウ トゥ ジャパン)
- eat the local food? (イート ザ ローカル フード)

mini 会話

A：西海岸に行きたいですか？　Would you like to go to the West Coast?

B：いいえ、東海岸に行きたいです。　No, I want to go to the East Coast.

Point　the West/East Coast と大文字で書くと、いわゆるアメリカの西／東海岸という意味になります。どちらも大きな都市があり、それぞれの良さがあって、旅行者に人気です。同じ国の中でもその地方によって食べものにも特徴があるので、その土地の料理を食べてみたいものですね。

UNIT 60　●感情・状況の表現
私は〜です。

1　　3　　2

私は　|　うれしい / 感激 / 忙しい / さびしい / 悲しい　|　です。

語句を覚えよう！

happy ハピー	うれしい	be excited ビ　エクサイティッド	興奮している
impressed インプレスト	感動している	be troubled ビ　トラブルド	困っています
busy ビジー	忙しい	be satisfied ビ　サティスファイド	満足している
lonely ロンリー	さびしい	be scared ビ　スケアド	こわい
sad サッド	悲しい	be interested ビ　インタレスティッド	興味がある

UNIT 60　I'm 〜.

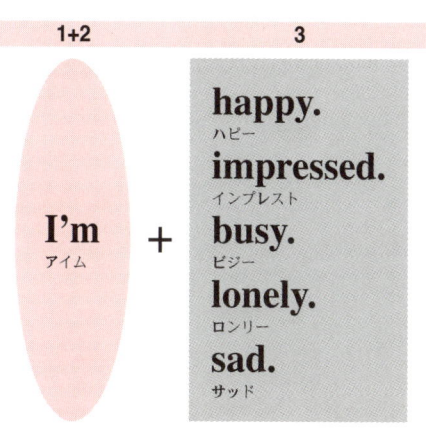

CD-60

1+2	3
I'm アイム +	**happy.** ハピー **impressed.** インプレスト **busy.** ビジー **lonely.** ロンリー **sad.** サッド

mini 会話

A：ここに来てうれしいですか？　Are you happy to be here?
B：本当に嬉しいです。　　　　　 I'm really happy.
　　でも、毎日観光で忙しい　　　But, I'm busy with sightseeing
　　です。　　　　　　　　　　　every day.

Point　「be 動詞＋感情を表わす形容詞」で感情や状況を表現します。旅行先では見るものすべてが新鮮で、感情を表わす機会が多いことと思います。そんな時に、言葉で表わすことができるようになっておきましょう。また、あまり良くない感情を表現することも、ときには必要です。

UNIT 61 ●ルックスの表現（1）
あなたは〜ですね。

1	2	3
あなたは	美しい / カッコいい / ハンサム / スリム / 色っぽい	ですね。

語句を覚えよう！

beautiful ビューティフル	美しい	intelligent インテリジェント	知的な
good-looking グッドルッキング	カッコいい	cunning カニング	ずるい
handsome ハンサム	ハンサムな	saucy ソーシー	なまいきな
slim スリム	スリムな	stuck-up スタック アップ	ツンとしている
sexy セクシー	色っぽい	fat ファット	太っている

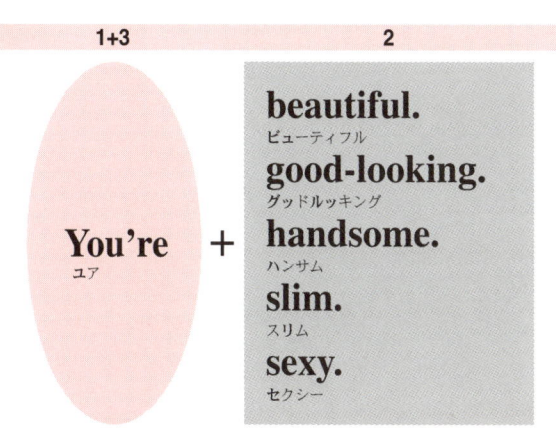

UNIT 61 CD-61 You're 〜.

1+3 / 2

You're (ユア) +
- beautiful. ビューティフル
- good-looking. グッドルッキング
- handsome. ハンサム
- slim. スリム
- sexy. セクシー

mini 会話

A：あなたは、きれいで知的ですね。　You're beautiful and intelligent.
B：ありがとうございます。　Thank you.
　　あなたは、ハンサムね。　You're handsome.

Point 誰だってほめられたらうれしいものです。ほめられたら、Thank you. だけでもいいですが、「ほめ言葉」compliment という単語を使って、Thank you for your compliment.「ほめてくれてありがとう。」と言えば、ますます株が上がるかもしれません。

UNIT 62　●ルックスの表現（2）
CD-62
彼／彼女は〜です。

1	2	3
彼は / 彼女は	若い （背が）高い 親切 利口 かわいい	です。

語句を覚えよう！

young ヤング	若い	old オールド	老いた
tall トール	（背が）高い	thin シン	痩せている
kind カインド	親切（な）	pretty プリティ	きれい（な）
smart スマート	頭がいい	clever クレバー	賢い
cute キュート	かわいい	arrogant アロガント	横柄な

UNIT 62 CD-62
He's / She's ～ .

1+3　　　　　　　**2**

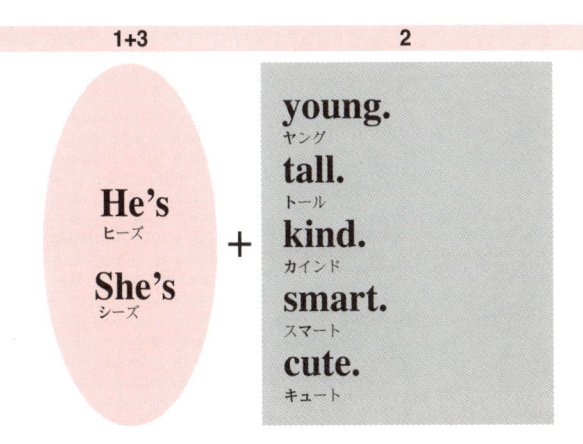

He's
ヒーズ

She's
シーズ

+

young.
ヤング
tall.
トール
kind.
カインド
smart.
スマート
cute.
キュート

mini 会話

A：彼は親切ですね。　　　　　　He's kind, isn't he?
B：彼女は若くてかわいい。　　　She's young and cute.

A：私の父は太っているけど　　　My father is fat, but my
　　母は痩せています。　　　　　mother is thin.
B：私の母は背が高いわ。　　　　My mother is tall.

Point pretty は「かわいい」と覚えていませんか？ これはどちらかといえば、「美しい」という意味に使われるのです。小さくてかわいいとか、かわいらしいと言いたいときは cute を使うのが普通です。女性は特にいろいろなものに cute を使う傾向があるようです。

UNIT63 ● 状態を聞く表現
(あなたは) 〜ですか？

2	3	1
(あなたは)	大丈夫 / お疲れ / 今晩お暇 / 空腹 / 具合が悪い	ですか。

語句を覚えよう！

okay オウケイ	大丈夫	thirsty サースティ	のどが渇く
tired タイアード	疲れている	feverish フィーヴァリッシュ	熱がある
free フリー	暇な（暇がある）	in pain イン ペイン	痛い
hungry ハングリー	空腹だ（お腹がへる）	suffering サファーリング	苦しい
sick シック	具合が悪い	sleepy スリーピー	眠い

UNIT 63 Are you ～ ?
CD-63

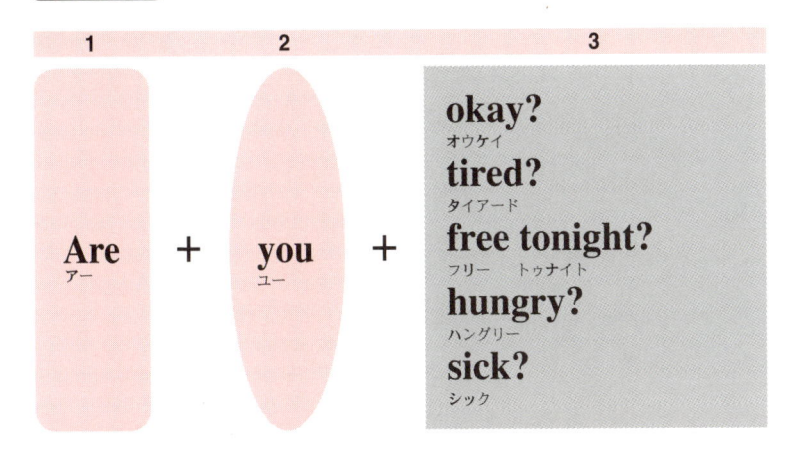

1	2	3
Are アー	you ユー	okay? オウケイ tired? タイアード free tonight? フリー トゥナイト hungry? ハングリー sick? シック

mini 会話

A：大丈夫ですか。　　　　　Are you okay?

B：大丈夫です。あなたは？　　Yes, I am. How about you?

A：私も大丈夫ですか。　　　　I'm okay, too.

B：彼女は具合が悪そうよ。　　She seems to be sick.

Point 誰かの様子がおかしいときは、この表現を使って聞いてあげましょう。時差ぼけなどで疲れも出ますし、具合が悪くなることもあるかもしれません。助けを求めるときは、前のユニットで勉強したShe's/He's ～ .を使って、She's sick. と伝えてあげましょう。

UNIT 64 CD-64

● 天候の表現（1）

（天気が）〜です。

1	2	3
（天気が）	いい 暖かい 暑い 寒い 涼しい	ですね。

語句を覚えよう！

sunny サニー	（天気が）いい	humid ヒューミッド	湿気がある
warm ウォーム	暖かい	dry ドライ	乾燥している
hot ホット	暑い	rainy レイニィ	雨が降っている
cold コウルド	寒い	cloudy クラウディ	曇り
cool クール	涼しい	snowy スノウィ	雪が降っている

UNIT 64 CD-64 It's ～ .

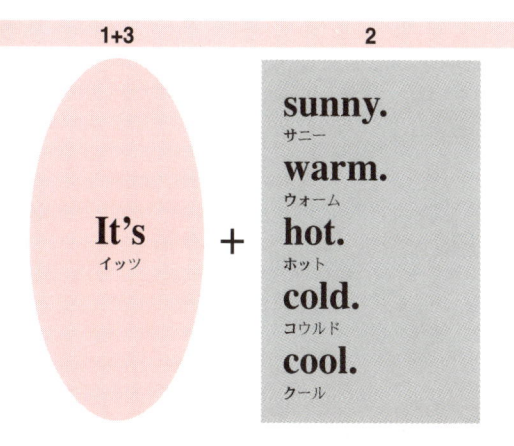

1+3	2
It's イッツ +	**sunny.** サニー **warm.** ウォーム **hot.** ホット **cold.** コウルド **cool.** クール

mini 会話

A：今日は、天気がいいですね。　It's sunny today.
B：明日の天気はどうなのでしょう。What's the weather like for tomorrow?
A：雨だそうです。　　　　　　　It's going to rain.

Point お天気を表すにはIt～を使うのが普通です。日本語からはあまり出てこない表現法かもしれませんが、基本ですので覚えてください。hot「暑い」などの形容詞を使って表わす言い方を練習しましたが、「雨です」の場合、It's rainy. の他に、動詞 rain「雨が降る」を使って、It rains. とも言えます。

UNIT 65　●天候の表現（2）
〜になりそうですね。

3	2	1
明日は 午後は あさっては 週末は 今夜は	大雨 いい天気 嵐　　に 晴れ 曇	なりそう ですね。

語句を覚えよう！

rain heavily レイン　ヘヴィリィ	大雨が降る	weather forecast ウェザー　フォーキャスト	天気予報
be clear ビ　クリア	いい天気 になる	low pressure ロウ　プレッシャー	低気圧
be stormy ビ　ストーミィ	嵐になる	high pressure ハイ　プレッシャー	高気圧
be sunny ビ　サニィ	晴れる	refreshing リフレッシング	さわやか
be cloudy ビ　クラウディ	曇りになる	shower シャワー	にわか雨

UNIT 65 — It will 〜.

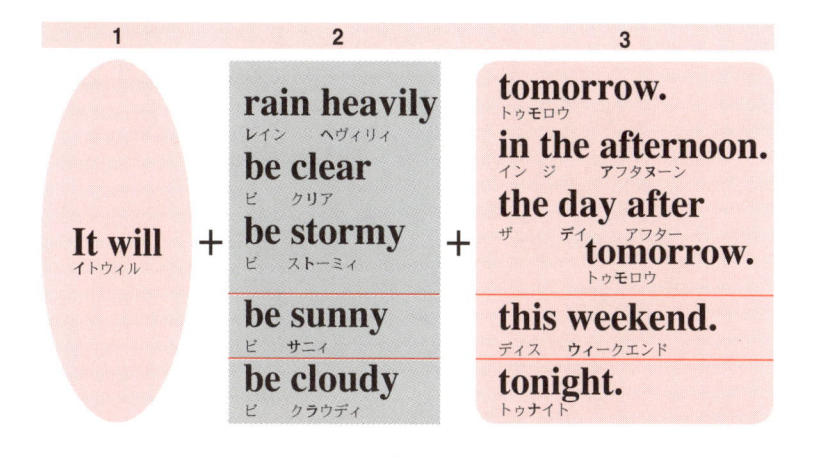

1	2	3
It will イトウィル	rain heavily レイン ヘヴィリィ be clear ビ クリア be stormy ビ ストーミィ be sunny ビ サニィ be cloudy ビ クラウディ	tomorrow. トゥモロウ in the afternoon. イン ジ アフタヌーン the day after tomorrow. ザ デイ アフター トゥモロウ this weekend. ディス ウィークエンド tonight. トゥナイト

mini 会話

A：明日は雨になりそうですね。 It will rain tomorrow.
B：いやですね。どうしよう。 … Oh, no. What should we do?
A：あさっては晴れるそうですよ。 It will be sunny the day after tomorrow.
B：じゃ、どこかへ出掛けましょう。 Let's go somewhere then.

Point　「天気がいい（晴れ）」は、It's fine. と日本では教えられますが、アメリカでは、fineはほとんど使われません。It's sunny. が一般的です。暑く乾燥した地域では、雨がありがたいので、雨がいい天気かもしれません。

UNIT 66 CD-66
● 状態の表現
〜すぎます。

2	1
大き 小さ （値段が）高 遠 豪華	すぎます。

語句を覚えよう！

big ビッグ	大きい	old オウルド	古い
small スモール	小さい	new ニュー	新しい
expensive エクスペンシヴ	（価格が）高い	loud ラウド	派手な
far ファー	遠い	quiet クワイエット	地味な
fancy ファンシー	豪華な／法外な	close クロウス	近い

UNIT 66　Too 〜．

CD-66

1　Too
トゥー

+

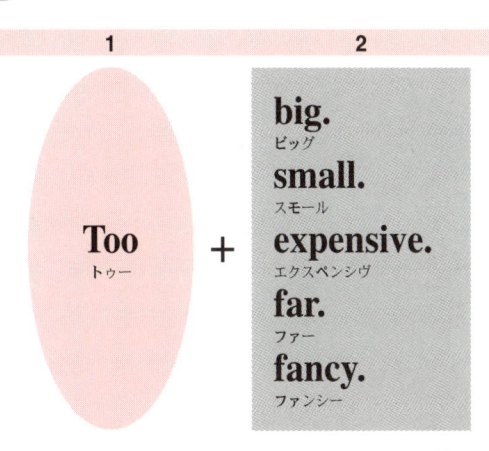

2
big.　ビッグ
small.　スモール
expensive.　エクスペンシヴ
far.　ファー
fancy.　ファンシー

mini 会話

A：これはいかがですか。　　　How about this one?
B：高すぎますよ。お金があり　　Too expensive. I don't have
　　ません。　　　　　　　　　enough money.
A：じゃ、あれはいかがですか。　Well, how about that one?
B：いらないわ。　　　　　　　No, thank you.

Point　ここでは、主語になる言葉を省略した言い方を勉強しましたが、普通は単数のものなら it「それ」、複数のものなら they「それら」を主語として、It's/They're too 〜．と言いますので、いろいろな形容詞を使って、文章を作るのに挑戦してみましょう。

UNIT 67 CD-67
● 風味の表現
（味が）〜ですね。

2
おいしい
まずい
辛い
甘い
ぬるい

1
ですね。

語句を覚えよう！

delicious デリシャス	おいしい	sour サワー	酸っぱい
not good ノット グッド	まずい	bitter ビター	にがい
hot ホット	辛い	salty ソルティ	塩辛い
sweet スウィート	甘い	strong (coffee) ストロング（コーフィ）	濃い（コーヒー）
not warm enough ノット ウォーム イナフ	ぬるい	weak (soup) ウィーク（スープ）	薄い（スープ）

UNIT 67 CD-67 It's / They're 〜 .

1
It's
イッツ
They're
ゼイア

+

2
delicious.
デリシャス
not good.
ノット グッド
hot.
ホット
sweet.
スウィート
not warm enough.
ノット ウォーム イナフ

mini 会話

A：お味はいかがですか。 How do you like it?
B：とてもおいしいです。 It's very delicious.
A：よかった。たくさんめし上がってください。 Good. Eat as much as you want.
B：ありがとうございます。 Thank you.

Point 味を聞く時、How do you like it? が決まり表現です。「とても〜」と言いたいときは、very を付けます。「本当に〜」と言いたいときは、really をそれぞれの形容詞の前に付けて、It's really delicious. と気持ちを込めて言えば、おいしいという気持ちが相手に伝わると思います。

UNIT 68
CD-68

● 物をほめる表現
すてきな〜ですね。

| 2 | 3 | 1 |

すてきな　ネクタイ／スカーフ／ドレス／シャツ／ブラウス　ですね。

語句を覚えよう！

tie タイ	ネクタイ	print プリント	模様
scarf スカーフ	スカーフ	color カラー	色
dress ドレス	ドレス	costume コスチューム	衣裳
shirt シャート	シャツ	craft クラフト	工芸品
blouse ブラウス	ブラウス	place プレイス	場所

UNIT 68 CD-68 Nice 〜．

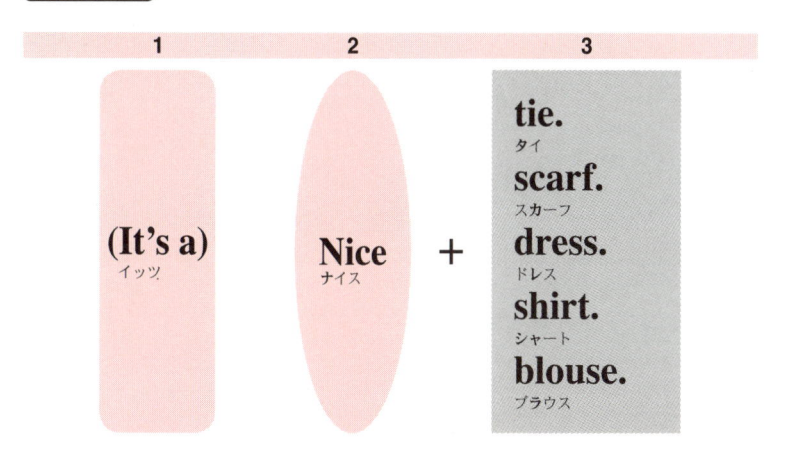

1	2		3
(It's a) イッツ	Nice ナイス	+	tie. タイ scarf. スカーフ dress. ドレス shirt. シャート blouse. ブラウス

mini 会話

A：すてきなネクタイですね！どこで買ったのですか。　Nice tie! Where did you buy it?
B：デパートで買いました。　I bought it at the department store.
　非常に安かったです。　It was very reasonable.

Point It's が略された形です。その日会ったときに、ほめ言葉から会話を始めてみると、相手の気分が良くなって、話も弾むはずです。アメリカ人はお世辞を嫌うのでは？と思っているかもしれませんが、心からのほめ言葉は万国共通で会話を円滑にしてくれるものです。

UNIT 69　●予定の表現
CD-69

（私は）〜するつもりです。

4	3	2	1
来月	アメリカへ	行く	（私は）つもりです。
明日	成田を	発つ	
明朝	4時に	起きる	
これから	食事に	行く	
卒業後	フランスへ	留学する	

語句を覚えよう！

go to the U.S. ゴウ トゥ ザ ユー エス	アメリカへ行く	next month ネクスト マンス	来月
leave Narita Airport リーヴ ナリタ エアポート	成田空港を発つ	tomorrow トゥモロウ	明日
get up at four ゲット アップ アト フォー	4時に起きる	tomorrow morning トゥモロウ モーニング	明朝
go out to eat ゴウ アウト トゥ イート	食事に行く	from now フロム ナウ	これから
study abroad スタディ アブロウド	留学する	after graduation アフター グラジュエイション	卒業後

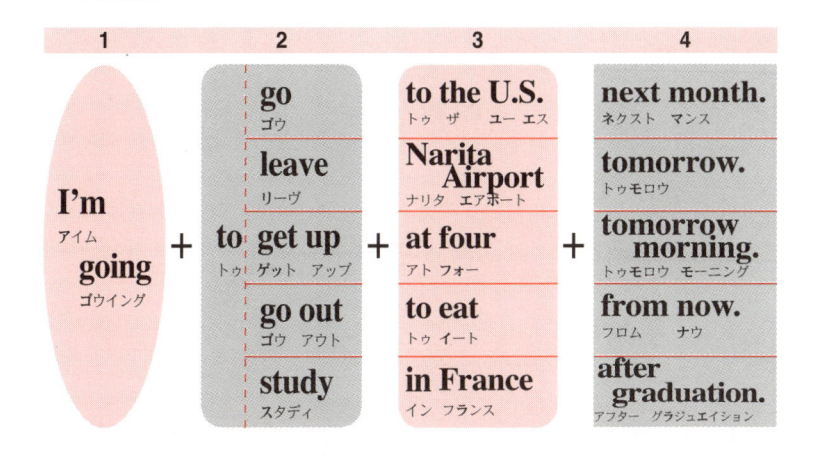

UNIT 69　I'm going to ～．

CD-69

1	2	3	4
I'm going	go / leave / to get up / go out / study	to the U.S. / Narita Airport / at four / to eat / in France	next month. / tomorrow. / tomorrow morning. / from now. / after graduation.

mini 会話

A：明朝、成田空港を発つつもりです。　I'm going to leave Narita Airport tomorrow morning.
B：何時の便ですか。　What time is the flight?
A：７時の飛行機です。　At seven.
　だから、家を４時にでます。　So I'll leave home at four.

Point　予定を表す表現は be going to ＋動詞で表します。「私は～する予定です。」は I'm going to ～ですが、「私たちは～」だと、We're going to ～、「彼（彼女）は～」は She's / He's going to ～という風に主語を変えられるようにもなれば完璧です。

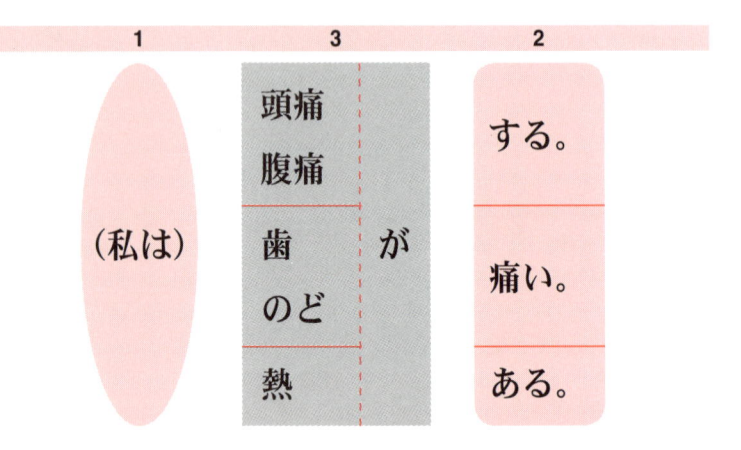

UNIT 70 ●病状の表現
CD-70
（私は）〜がする。

1	3		2
（私は）	頭痛 腹痛	が	する。
	歯 のど		痛い。
	熱		ある。

語句を覚えよう！

headache ヘッデイック	頭痛	earache イアエイク	耳の痛み
stomach-ache スタマッケイク	腹痛	backache バックエイク	背中の痛み
toothache トゥースエイク	歯痛	diarrhea ダイアリーア	下痢
sore throat ソア　スロウト	のどの痛み	insomnia インサマニア	不眠症
fever フィーヴァー	熱	cough コフ	咳

UNIT 70 I have 〜 .
CD-70

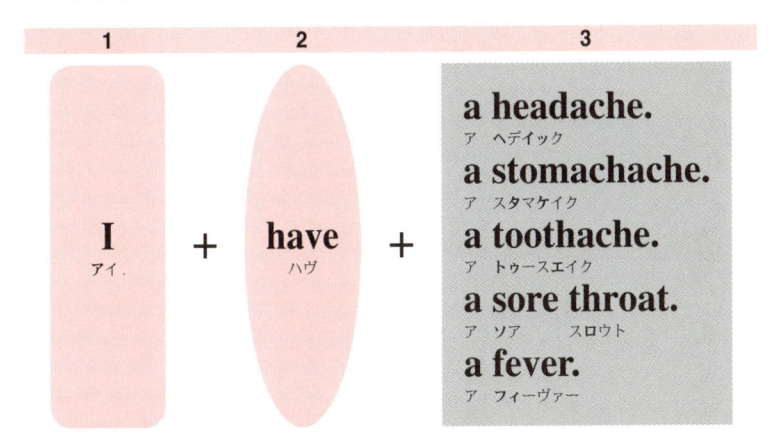

| 1 | 2 | 3 |

I
アイ．

+ have
ハヴ
+
a headache.
ア ヘデイック
a stomachache.
ア スタマケイク
a toothache.
ア トゥースエイク
a sore throat.
ア ソア スロウト
a fever.
ア フィーヴァー

mini 会話

A：どうしましたか。　　　　　What's the matter?
B：頭痛がします。　　　　　　I have a headache.
　　風邪をひいたようです。　　I think I have a cold.
A：医者にみてもらった方が　　You'd better see a doctor.
　　いいですよ。

Point 直訳すると、「頭痛／歯痛をもっています」となります。体調の悪いときはほとんど、I have a 〜 . で表すことができますが、a の付かないものに diarrhea「下痢」や insomnia「不眠症」などがあります。発音もちょっと厄介ですが、旅先では食べものが合わなくて下痢をしてしまうこともあるので、覚えておきましょう。

153

UNIT 71 CD-71

● 物を紛失した時

私は〜をなくしました。

1	3		2
私は	腕時計 お金 ビデオカメラ 財布 ハンドバッグ	を	なくしました。

語句を覚えよう！

watch ウォッチ	腕時計	ring リング	指輪
money マネー	お金	earring イアリング	イヤリング
video camera ヴィディオ　キャメラ	ビデオカメラ	necklace ネックレス	ネックレス
wallet ウォレット	財布	bracelet ブレスレット	ブレスレット
handbag ハンドバッグ	ハンドバッグ	tiepin タイピン	タイピン

UNIT 71 — I lost ～.

CD-71

1	2	3
I (アイ)	lost (ロスト)	my watch. (マイ ウォッチ) my money. (マイ マネー) my video camera. (マイ ヴィディオ キャメラ) my wallet. (マイ ウォレット) my handbag. (マイ ハンドバッグ)

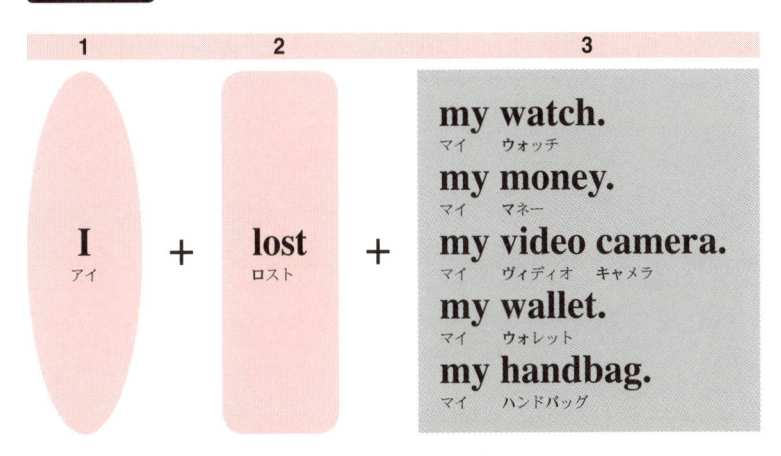

mini 会話

A：どうしましたか？　　What happened?
B：財布をなくしました。　I lost my wallet.
A：どこでなくしましたか。　Where did you lose it?
B：わかりません。　　　I don't know.

Point 空港などでは lost and found という「遺失物取扱所」がありますので、何かなくしたときは身の回りを探したら、まずそこに行って聞いてみましょう。誰かが見つけて届けてくれているかもしれません。なくしたときばかりでなく拾ったときもそこに届けるのを忘れずに！

UNIT 72
CD-72

● 物が故障した時

〜が動きません。

1		2
エアコン 水道 ドアの鍵 電話 パソコン	が	動きません。

語句を覚えよう！

air conditioner エアー コンディショナー	エアコン	window ウィンドウ	窓
water faucet ウォーター フォセット	水道の蛇口	elevator エレヴェィター	エレベーター
door lock ドア　ロック	ドアの鍵	shower シャワー	シャワー
telephone テレフォン	電話	refrigerator リフリジレイター	冷蔵庫
computer コンピュータ	パソコン	toilet トイレット	トイレ

UNIT 72　〜 doesn't work.

CD-72

1	2

The air conditioner
ジ　エアー　コンディショナー
The water faucet
ザ　ウォーター　フォセット
The door lock
ザ　ドア　ロック
The telephone
ザ　テレフォン
The computer
ザ　コンピュータ

＋

doesn't work.
ダスント　ワーク

mini 会話

A：エアコンが動きません。調べてください。

The air conditioner doesn't work. Please check it.

B：わかりました。すぐそちらへ行きます。

Alright, sir. I'll be right there.

Point　機械などが「動く」という動詞は work を使います。一番シンプルな言い方を勉強しましたが、他にも、There's something wrong with 〜 (物).「〜がちょっとおかしいのですが。」という言い方もあります。

UNIT 73 CD-73

■ 感謝の表現
～をありがとうございます。

2
夕食を
電話をくださって
御招待にあずかり
お手伝いいただき
いろいろと

1
ありがとうございます。

語句を覚えよう！

dinner ディナー	夕食	being nice to me ビーイング ナイス トゥ ミー	親切にしてくれる
calling コーリング	電話をする	writing to me ライティング トゥ ミー	手紙をくれる
inviting インヴァイティング	招待する	interpreting for me インタープリティング フォ ミー	通訳してくれる
helping me out ヘルピング ミー アウト	手伝ってくれる	making a call for me メイキング ア コール フォー ミー	代わりに電話してくれる
everything エヴリシング	いろいろ	showing me around town ショウイング ミー アラウンド タウン	街を案内してくれる

UNIT 73
CD-73

Thank you for 〜.

Thank you (サンキュー) + **for** (フォー) +
- the dinner. (ザ ディナー)
- calling. (コーリング)
- inviting me. (インヴァイティング ミー)
- helping me out. (ヘルピング ミー アウト)
- everything. (エヴリシング)

mini 会話

A：おいしい夕食をありがとうございます。
とても楽しかったです。
Thank you for the delicious dinner.
I enjoyed it very much.

B：いいえ、どういたしまして。
You're very welcome.

Point Thank you for 〜. の後には名詞、または動詞の ing の形が来ると覚えてください。感謝の気持ちを表す表現は大切ですからしっかり覚えましょう。「いろいろとお世話になりました。」と言いたいときは、Thank you for everything. が便利な表現です。

UNIT 74
CD-74

● 軽いお詫び
〜してすみません。

2	1
遅くなって お待たせして 失望させて 煩わせて 御苦労かけて	すみません。

語句を覚えよう！

be late ビ レイト	遅れる	surprise you サプライズ ユー	あなたを 驚かせる
make you wait メイク ユー ウェイト	あなたを 待たせる	tell a lie テル ア ライ	嘘をいう
disappoint you ディサポイント ユー	あなたを 失望させる	not make it ナット メイク イット	やり遂げない
bother you ボザー ユー	あなたを煩 わせる	make a mistake メイク ア ミステイク	失敗する
cause trouble コーズ トラブル	苦労をかける	not be in touch ナット ビ イン タッチ	ご無沙汰する

UNIT 74 I'm sorry 〜.
CD-74

1 I'm sorry
アイム ソーリィ

+

2
I'm late.
アイム レイト
I made you wait.
アイ メイド ユー ウェイト
to disappoint you.
トゥ ディサポインチュー
to bother you.
トゥ ボザー ユー
for causing trouble.
フォー コージング トラブル

mini 会話

A：遅くなってすみません。
道路が混んでいまして。
B：事故に会わなくてよかった。

I'm sorry I'm late. There was a traffic jam.
I'm glad you weren't in an accident.

Point I'm sorry. という表現はもともと「残念です。」という意味があり、それが謝まる表現となっています。でも、もう一つ「かわいそう」という意味もあるので、このような状況でなぜ謝っているのだろう？と不思議に思う前に、I'm sorry. のもともとの意味をよく考えてみてください。

UNIT 75 ●丁寧に尋ねる時
すみません、～ですか。

1　すみません、（失礼ですが）

2
この席は空いてますか。
今、何時ですか。
シェラトンホテルはどこですか。
ライターをお持ちですか。
ブラウン（男性）／ジョーンズ（女性）さんですか。

語句を覚えよう！

the seat is free　ザ シート イズ フリー	席があいている	seats are full　シーツ アー フル	座席は満席だ
the seat is occupied　ザ シート イズ オキュパイド	席がふさがっている	reservation　レザヴェイション	予約
what time　ワット タイム	何時	be booked up　ビ ブックト アップ	予約済みだ
lighter　ライター	ライター	full　フル	いっぱいだ
Mr./Ms. ○○　ミスター／ミズ	○○さん	sold out　ソルド アウト	売り切れ

UNIT 75 Excuse me, ～ ?
CD-75

Excuse me,
エクスキューズ ミー

+

is this seat free?
イズ ディス シート フリー

what time is it now?
ワット タイム イズ イット ナウ

where's the Sheraton Hotel?
ウェアズ ザ シェラトン ホテル

do you have a lighter?
ドゥー ユー ハヴ ア ライター

are you Mr.Brown/Ms.Jones?
アー ユー ミスター ブラウン／ミズ ジョーンズ

mini 会話

A：すみません。この席は空いていますか。　Excuse me, is this seat free?
B：空いていますよ。　Yes, it is.
A：ありがとうございます。　Thank you.

Point 知らない人や、誰かが他のことをしているときに、何かを尋ねる前には、いきなり質問に入る前に、やはり Excuse me, ～ が常識ですね。答えてもらったら、そのまま立ち去らずに Thank you very much. と感謝するのを忘れずに。

UNIT 76　挨拶の伝言
〜によろしく。

2		1
御家族の皆様 奥様 御両親 部長さん 先生	に	よろしく。

語句を覚えよう！

family ファミリー	家族	section chief セクション　チーフ	課長
wife ワイフ	奥様	boss ボス	上司
parents ペアレンツ	両親	everybody エヴリバディ	皆様
general manager ジェネラル　マネージャー	部長	friend フレンド	友達
teacher ティーチャー	先生	girlfriend ガールフレンド	ガールフレンド

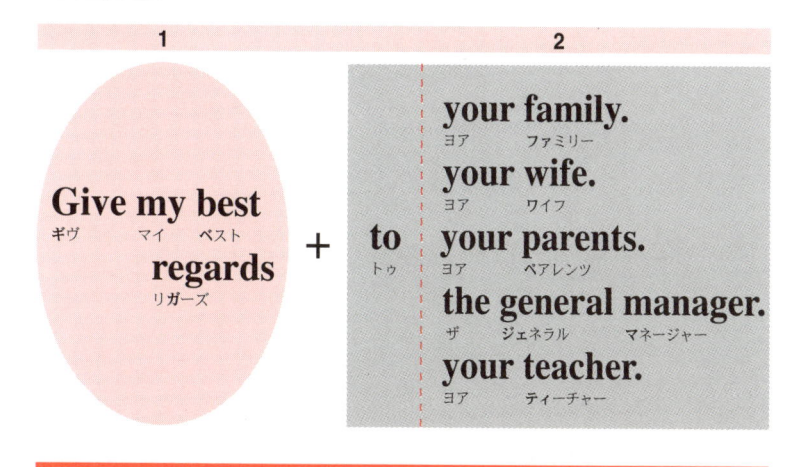

UNIT 76 CD-76 Give my best regards 〜.

1

Give my best regards
ギヴ マイ ベスト リガーズ

+

2

to
トゥ

your family.
ヨア ファミリー

your wife.
ヨア ワイフ

your parents.
ヨア ペアレンツ

the general manager.
ザ ジェネラル マネージャー

your teacher.
ヨア ティーチャー

mini 会話

A：御家族のみなさまによろしくお伝えください。
Please give my best regards to your family.

B：分かりました。伝えます。
Okay. I will.

A：お体に気をつけて。
Take care.

Point regards は「よろしくとの挨拶」で複数形で使います。親しい友人の家族などには Say hello to your family. で「家族によろしくね。」というくだけた言い方になります。英語では、間接的に知っていても、面識がない人にはあまり「よろしく」とは言わないので、注意してください。

UNIT 77 ●勧誘
どうぞ〜。

1	2
どうぞ	自由にとって食べてください。 お入りください。 おくつろぎください。 ここでお待ちください。 お受取りください。

語句を覚えよう！

help yourself ヘルプ　ユアセルフ	自由にとって食べる	tell me テル　ミー	教える
come in カム　イン	入る	stand up スタンド　アップ	立つ
make yourself at home メイク　ユアセルフ　アトホーム	くつろぐ	sit down シット ダウン	座る
wait here ウェイト ヒア	ここで待つ	go first ゴウ ファースト	先に行く
take this テイク　ディス	これを受取る	call コール	電話する

UNIT 77 Please 〜 .

Please +
- help yourself.
- come in.
- make yourself at home.
- wait here.
- take this.

mini 会話

A：どうぞ、召し上がってください。 Please help yourself.
B：とてもおいしいです。 It's very delicious.
　どなたがお料理したのですか。 Who made it?
A：私です。 I did.

Point make yourself at home は、「お楽にしてください」の慣用句です。お料理や食べものがテーブルの上にあって、「どうぞ召し上がってください。」も、Please eat this. より、「ご自由に取ってください。」という気持ちを込めて、help yourself を使うのが自然な言い方です。どちらも、決まり文句として覚えましょう。

UNIT 78
CD-78

● 行動をほめる表現

（あなたは）〜が上手ですね。

2		1
料理 / ゴルフ / 絵 / ピアノ / 冗談	が	（あなたは）上手ですね。

語句を覚えよう！

cooking クッキング	料理	sewing ソウイング	裁縫
golf ゴルフ	ゴルフ	embroidery エンブロイダリィ	刺繍
drawing ドローイング	絵	calligraphy カリグラフィ	書
piano ピアノ	ピアノ	guitar ギター	ギター
joking ジョウキング	冗談	praising プレイジング	ほめること

UNIT 78 You're good at 〜．

CD-78

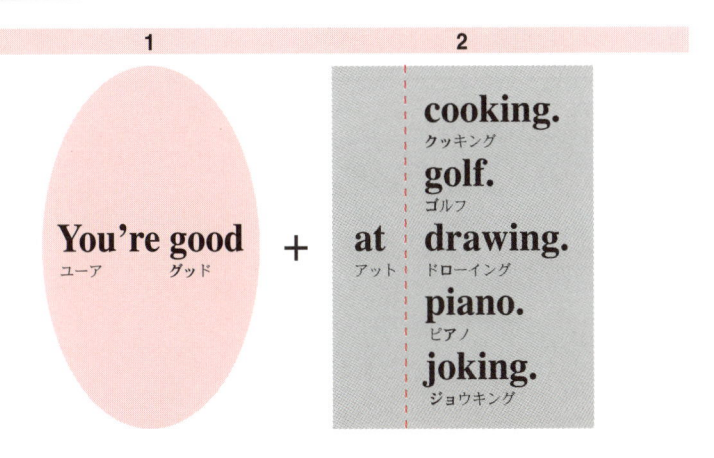

You're good (ユーア グッド) + **at** (アット) +
- cooking. (クッキング)
- golf. (ゴルフ)
- drawing. (ドローイング)
- piano. (ピアノ)
- joking. (ジョウキング)

mini 会話

A：料理が上手ですね。　You're good at cooking.
B：ありがとう。料理は好きですけど。　Thank you. I like cooking.

A：あなたは、ゴルフが上手ですね。　You're good at golf.
B：冗談がお上手なこと。　You're good at joking.

Point 「〜が上手」は be good at 〜 で表します。「〜（動詞）すること」と言いたいときは動詞に ing をつければ応用できます。「走ること」ならば run が running となるわけです。「料理が上手ですね。」は、他にも You're a good cook.（ユーア ア グッド クック）という表現もよく使われます。

UNIT 79 ●感動の表現
CD-79
私は～に感動しました。

1	3	2
私は	ミュージカル 美しい景色 ここの夜景 ゴスペル グランドキャニオン	に 感動しました。

語句を覚えよう！

musical ミュージカル	ミュージカル	ceramic art セラミック　アート	陶芸品
beautiful scenery ビューティフル　シナリー	美しい景色	Gothic ゴシック architecture アーキテクチャ	ゴシック建築様式
night view ナイト　ヴュー	夜景	work of art ワーク　オヴ　アート	美術品
gospel songs ゴスペル　ソングズ	ゴスペル	paintings ペインティングズ	絵画
the Grand Canyon ザ　グランド　キャニオン	グランドキャニオン	art アート	芸術

UNIT 79 / CD-79

I was impressed by 〜.

1	2	3
I アイ	was impressed ワズ インプレスト	by バイ … the musical. ザ ミュージカル the beautiful scenery. ザ ビューティフル シナリー the night view. ザ ナイト ヴュー the gospel songs. ザ ゴスペル ソングズ the Grand Canyon. ザ グランド キャニオン

mini 会話

A：グランドキャニオンはいかがでしたか。
How did you like the Grand Canyon?

B：美しい景色に感動しました。
I was impressed by the beautiful scenery.

Point　「〜に感動した。」と、過去のことを表すので、was を使っていますが、「今、感動している。」と言いたいときは、am を使って、I am impressed by 〜. と応用することができます。I'm impressed.「感動しています。」だけでも使えます。

UNIT 80　CD-80　■驚きの表現
（私は）〜に、驚きました。

1	3		2
（私は）	知らせ / 番組 / 事件 / 事故 / 父の死亡	に	驚きました。

語句を覚えよう！

news ニュース	知らせ	disaster ディザースター	災害
news program ニューズ プログラム	ニュース番組	fire ファイア	火事
incident インシデント	事件	crash クラッシュ	（飛行機の）墜落
accident アクシデント	事故	unexpected アンイクスペクティッド	意外な
my father's death マイ ファーザーズ デス	父の死	awful オーフル	恐ろしい

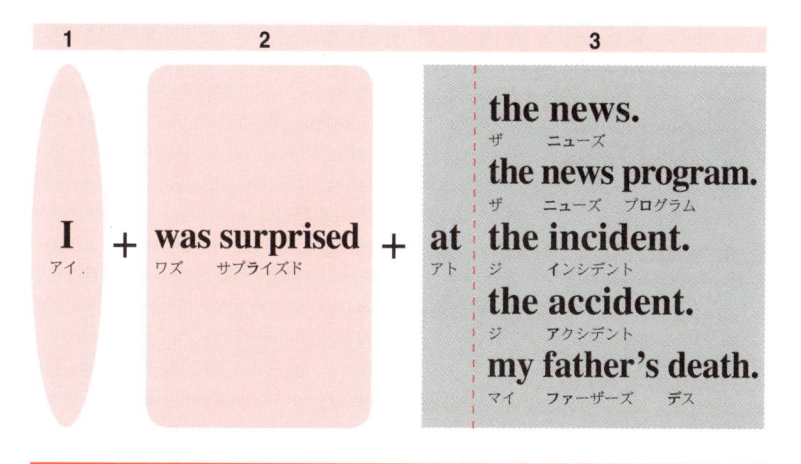

UNIT 80
CD-80
I was surprised at ～.

1	2	3

I
アイ．
+ was surprised
ワズ　サプライズド
+ at
アト
: the news.
ザ　ニューズ
the news program.
ザ　ニューズ　プログラム
the incident.
ジ　インシデント
the accident.
ジ　アクシデント
my father's death.
マイ　ファーザーズ　デス

mini 会話

A：旅客機が墜落したそうですね。　I heard a commercial plane crashed.
B：悪い知らせに驚きました。　I was surprised at the bad news.
A：乗客130名が死亡したそうです。　One hundred thirty passengers died.

Point　「驚く」は「感動する」と形の似ている英文になりますが、前置詞に by ではなくて at を使うのがポイントです。もう一つ、I was surprised to hear ～.「～を聞いて驚いた。」、I was surprised to know ～「～を知って驚いた。」という言い方もありますので、覚えましょう。

UNIT 81 CD-81　●喜びを表わす
(私は) 〜うれしく思います。

2
お会いできて
それを聞いて
ご一緒できて
気に入っていただいて
お電話いただいて

1
(私は) うれしく思います。

語句を覚えよう！

meet ミート	会う	hear from you ヒア　フロム　ユー	あなたの手紙をいただく
hear ヒア	聞く	get a present ゲット ア プレゼント	プレゼントをもらう
be with you ビ　ウィズ・ユー	あなたとご一緒する	see you again シー　ユー　アゲイン	あなたとまた会う
you like it ユー　ライク　イト	あなたが気に入る	enter the school エンター　ザ　スクール	入学する
receive a phone call リシーヴ ア フォン　コール	電話をもらう	get a job ゲット ア ジョブ	就職する

UNIT 81 CD-81 I'm happy to 〜.

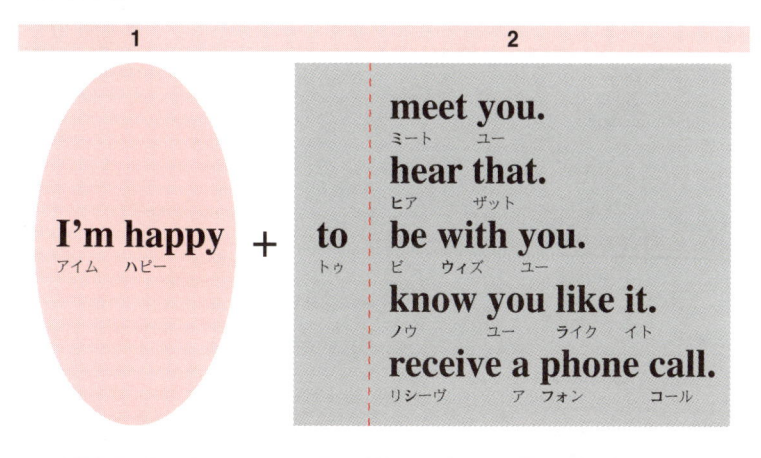

I'm happy
アイム ハピー

+ to +
トゥ

- **meet you.**
  ミート ユー
- **hear that.**
  ヒア ザット
- **be with you.**
  ビ ウィズ ユー
- **know you like it.**
  ノウ ユー ライク イト
- **receive a phone call.**
  リシーヴ ア フォン コール

mini 会話

A：またお会いできてうれしく思います。
I'm happy to see you again.

B：私もです。
Me, too.
前回お会いしたのが5年前でした。
It's been five years since I saw you last.

Point happy というと「幸せ」という日本語が浮かぶかもしれませんが、それほど大きな意味でなく、単純に「うれしい」というときも、happy を使います。このほかに glad もうれしいという意味で使います。「それを聞いてうれしいです。」は I'm glad to hear that. となります。

175

UNIT 82　●感想を聞く
〜は、楽しかったですか。

2		1
（この）旅行 ヨーロッパ滞在 サッカー観戦 市内観光 ミュージカル	は	楽しかったですか。

語句を覚えよう！

trip トリップ	旅行	working ワーキング	仕事
staying in Europe ステイング　イン　ヨーロップ	ヨーロッパ滞在	studying at college スタディング　アト　カレッジ	大学での勉強
watching soccer games ウォッチング　サッカー　ゲイムズ	サッカー観戦	part-time job パート　タイム　ジョブ	アルバイト
sightseeing サイトシーイング	観光	married life マァリド　ライフ	結婚生活
musical ミュージカル	ミュージカル	single life シングル　ライフ	独身生活

UNIT 82 / CD-82 — Did you enjoy ～ ?

Did you enjoy（ディジュ エンジョイ） +

- the trip?（ザ トリップ）
- staying in Europe?（ステイング イン ヨーロップ）
- watching soccer games?（ウォッチング サッカー ゲイムズ）
- sightseeing?（サイトシーイング）
- the musical?（ザ ミュージカル）

mini 会話

A：アメリカ旅行は楽しかったですか。
Did you enjoy your trip to the United States?

B：すごく楽しかったです。
I enjoyed it a lot.

Point アルバイトは英語では part-time job と言います。enjoy「〜を楽しむ」は楽しむものが名詞ならそのままの形でいいのですが、動詞なら〜ing の形にして、「〜すること」という名詞と同じような意味を持つ形にするのが規則です。a lot は「たくさん、大変」という意味で、よく使われます。

UNIT 83
CD-83

● 経験の聞き方

～は、初めてですか。

	2		1	
	ここに来る 新幹線に乗る 京都を訪れる 海外旅行をする 飛行機に乗る	のは	初めてですか。	

語句を覚えよう！

come here カム　ヒア	ここに来る	first time ファーストタイム	初めて
take the bullet train テイク　ザ　ボレット　トレイン	新幹線に乗る	second time セカンド　タイム	2度目
visit Kyoto ヴィジット キョート	京都を訪れる	last time ラースト タイム	最後
travel overseas トラベル　オウヴァーシーズ	海外旅行をする	many times メニー　タイムズ	何度も
be on an airplane ビ オン アン エアプレイン	飛行機に乗る	every year エヴリ　イアー	毎年

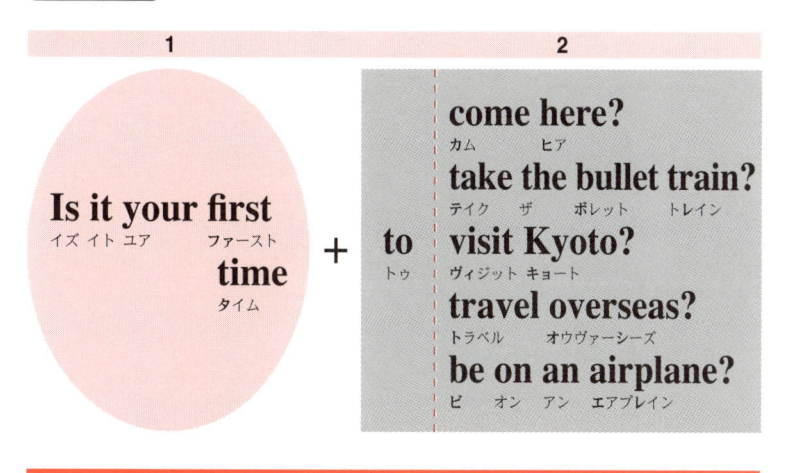

UNIT 83　Is it your first time to 〜 ?

CD-83

1
Is it your first time
イズ イト ユア　ファースト　タイム

＋

2
to
トゥ

- **come here?** カム ヒア
- **take the bullet train?** テイク ザ ボレット トレイン
- **visit Kyoto?** ヴィジット キョート
- **travel overseas?** トラベル オウヴァーシーズ
- **be on an airplane?** ビ オン アン エアプレイン

mini 会話

A：ここに来るのは初めてですか。　Is it your first time to come here?

B：今回で２度目です。　It's my second time.

Point　この表現は旅行では必須表現です。新幹線は世界的にも有名で、Shinkansen と言っても通じるほどですが、bullet train と英訳されます。bullet は「弾丸」という意味なので、「弾丸のように速い」という意味が込められているのだと思います。

UNIT 84　●経験を表現
CD-84　こんな…を〜ことがない。

3	4		2	1
こんな	すばらしい景色 / 美しい景色	を	見た	（私は）ことがない。
	香辛料のきいた食べ物		食べた	
	わるいニュース / いやな話		聞いた	

語句を覚えよう！

great グレート	すばらしい	scene シーン	景色
beautiful ビューティフル	美しい	food フード	食べ物
spicy スパイシー	香辛料のきいた	news ニューズ	ニュース
bad バッド	わるい	story ストーリー	話
disgusting ディスガスティング	いやな	hear ヒア	聞く

UNIT 84 I have never ～ such a ….
CD-84

1	2	3	4
I have never アイ ハヴ ネバー	**seen** シーン **eaten** イートゥン **heard** ハード	**such** サッチ	**a great scene.** ア グレート シーン **beautiful scenery.** ビューティフル シナリー **spicy food.** スパイシー フード **bad news.** バッド ニューズ **a disgusting story.** ア ディスガスティング ストーリー

mini 会話

A：こんなすばらしい景色は見たことがありません。 I have never seen such great scenery.
B：私も見たことがありません。 Neither have I.

Point　「～したことがない」は have never ～ を使います。そのときに動詞の形に注意してください。良く使う see → seen、eat → eaten、hear → heard などは必須です。I have は I've と短縮形を使うこともできます。

181

UNIT 85

興味の有無の言い方

(私は)〜に興味があります／ありません。

2 建築／美術／宗教／音楽／歴史 に

1 (私は) 興味があります。
興味がありません。

語句を覚えよう！

architecture アーキテクチャー	建築物	ruins ルインズ	遺跡
art アート	美術	antique アンティーク	骨董品
religion リリジョン	宗教	literature リテレチャー	文学
music ミュージック	音楽	sculpture スカルプチャ	彫刻
history ヒストリー	歴史	pottery ポッタリー	陶磁器

UNIT 85　I'm / I'm not interested in 〜.

CD-85

I'm interested
アイム　インタレスティッド

I'm not interested
アイム　ノット　インタレスティッド

＋

in
イン

architecture.
アーキテクチャー
art.
アート
religion.
リリジョン
music.
ミュージック
history.
ヒストリー

mini 会話

A：あなたは何に興味がありますか。
What are you interested in?

B：私は、ヨーロッパの現代美術に興味があります。
I'm interested in contemporary art from Europe.

Point この表現は、interested の後に in をとるのが特徴です。初対面の人同士では、あまりお互いの個人的なことを話さないのが普通です。美術や仕事の話、お互い興味があることについて話すことが多いのです。ただし、宗教や政治の話は初対面の相手に聞くのは失礼とされていますので、注意してください。

UNIT 86 ●確信を表わす表現
CD-86
（私はきっと）〜と思う。

2		1
彼は来る お金を盗まれた 財布をどこかに落とした バッグをあそこに置き忘れた 彼は大丈夫だ	と	（私はきっと）思う。

語句を覚えよう！

come カム	来る	be successful ビ サクセスフル	成功する
be stolen ビ ストールン	盗まれる	fail フェイル	失敗する
drop ドロップ	落とす	become rich ビカム リッチ	金持ちになる
leave リーヴ	置き忘れる	become poor ビカム プア	貧乏になる
alright オーライト	大丈夫	escape エスケイプ	逃げ出す

UNIT 86　I'm sure 〜．

CD-86

| 1 | 2 |

I'm sure
アイム　シュア

+

he will come.
ヒー　ウィル　カム

the money was stolen.
ザ　マネー　ワズ　ストールン

I dropped my wallet somewhere.
アイ　ドロップト　マイ　ウォレット　サムウェア

I left my bag there.
アイ　レフト　マイ　バッグ　ゼア

he will be alright.
ヒー　ウィル　ビ　オーライト

mini 会話

A：あなたはどう思いますか。　What do you think?
B：彼はきっと来ると思います。　I'm sure he will come.
A：どうして？　Why?
B：彼は、遅刻の常習犯だから。　He's always late for appointments.

Point　I'm sure 〜 を直訳すると「私は〜を確信している」ということなので、「きっと〜だと思う。」という意味でよく使われる表現です。後に続く文はどんな文でもかまいませんが、過去のことなのか、未来のことなのかを気を付けて文を作ってください。

UNIT 87
CD-87

● 相手に意見を聞く
〜をどう思いますか。

2		1
日本 この事件 彼女のこと 環境問題 アメリカの経済	を	（あなたは） どう思いますか。

語句を覚えよう！

Japan ジャパン	日本	future フューチャー	未来
this incident ディス インシデント	この事件	past パスト	過去
her ハー	彼女を	present プレゼント	現在
environmental エンヴァイラメンタル problems プロブレムズ	環境問題	the recent news ザ リスント ニューズ	最近のニュース
the U.S. ザ ユーエス economy エコノミー	アメリカの経済	Japan-U.S. ジャパン ユーエス relations リレイションズ	日米関係

UNIT 87　What do you think of ～ ?

CD-87

What do you think
ホワット　ドゥ　ユー　スインク

+ of
アブ

Japan?
ジャパン

this incident?
ディス　インシデント

her?
ハー

environmental problems?
エンヴァイラメンタル　プロブレムズ

the U.S. economy?
ザ　ユーエス　エコノミー

mini 会話

A：彼女のことをどう思いますか。　What do you think of her?
B：親切な方だと思います。　　　　I think she is nice.
A：スミス教授をどう思いますか。　What do you think of Professor Smith?
B：きびしい先生だと思います。　　I think he is a strict teacher.

Point　think of ～の of は、「～について」の意味。この表現の答えは、I think ～ . で始めるのが自然です。似た表現で、How do you think ～ があります。文化の違う人と意見を交わすのは興味深いものですが、デリケートな問題について聞くときは、TPO をわきまえる必要があります。

UNIT 88
CD-88

● 期待の気持ちを表わすいくつかの表現

～することを期待しております。

2	1
また、来年も来	たいと思います。
御家族の健康を	祈っています。
また、お会いするのを	楽しみにしています。
今度は、日本でお会い	したいと思います。
日米友好を	期待しております。

語句を覚えよう！

come again next year (カム アゲン ネクスト イヤー)	来年また来る	prosperity (プロスパリティ)	繁栄
wish good health (ウィッシュ グッド ヘルス)	健康を祈る	our happiness (アワ ハッピネス)	われわれの幸せ
see you again (シー ユー アゲン)	あなたと再会する	wish (ウィッシュ)	祈る
be looking forward to ～ ing (ビ ルッキング フォワード トゥー)	～するのを楽しみにしている	hope (ホウプ)	願う
Japan-U.S. relations (ジャパン ユーエス リレーションズ)	日米関係	expect (イクスペクト)	期待する

UNIT 88 I'd like / I wish ～.

1

I'd like
アイド ライク

I wish
アイ ウィッシュ

I'm looking forward
アイム ルッキング フォーワド

I hope
アイ ホープ

I expect
アイ イクスペクト

+

2

to come again next year.
トゥ カム アゲン ネックスト イヤー

your family good health.
ヨア ファミリー グッド ヘルス

to seeing you again.
トゥ シーイング ユー アゲン

to see you in Japan next time.
トゥ シー ユー イン ジャパン ネックスト タイム

Japan-U.S. relations will be stronger.
ジャパン ユーエス リレーションズ ウィル ビ ストロンガー

mini 会話

A：またお会いするのを楽しみにしています。
I'm looking forward to seeing you again.

B：私も楽しみにしています。いろいろとありがとうございました。
Me, too. Thank you for everything.

Point ここでは「期待」を表わすいくつかの表現を集めてみました。これらは、別れの時などに使う決まり表現です。「～を楽しみにしています。」は、I'm looking forward to（動詞+ing）～．となるので注意してください。また、I wish ～ はもう一つ I wish I had straight hair.「私の髪の毛まっすぐだったら良かったのに。」という事実とは違う願望を表わす言い方もあります。

UNIT 89
CD-89

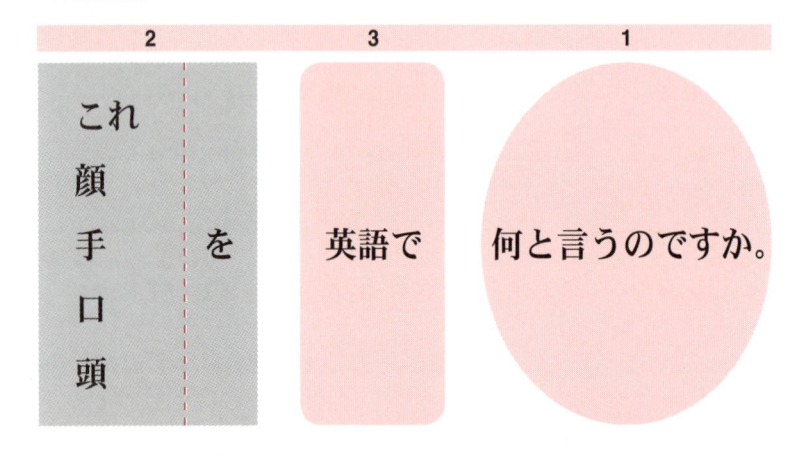

●コトバの尋ね方
〜を英語で何と言うのですか。

2		3	1
これ 顔 手 口 頭	を	英語で	何と言うのですか。

単語を覚えよう！

face フェイス	顔	ear イア	耳
hand ハンド	手	arm アーム	腕
mouth マウス	口	belly ベリー	腹
head ヘッド	頭	foot フット	足
eye アイ	目	body ボディ	体

UNIT 89
CD-89

How do you say 〜 in English?

1	2	3

How do ハウ ドゥ **you say** ユー セイ

+

this ディス
kao カオ
te テ
kuchi クチ
atama アタマ

+

in English? イン イングリッシュ

mini 会話

A："顔"を英語で何というのですか。
B："face"といいます。
A：では"にきび"は何といいますか。
B："pimple"といいます。

How do you say *kao* in English?
It's "face."
And how do you say *nikibi* in English?
It's "pimple."

Point How do you 〜 ? の表現は他にも、How do you spell 〜 ?「〜のスペルは何ですか？」や、How do you pronounce 〜 ?「〜の発音は何ですか？」という表現があります。わからないままにしておくよりもきちんと聞いて確認しましょう。

UNIT 90 　意味の尋ね方
〜はどういう意味ですか。

3		1	2
これ / このコトバ / この記号 / このしるし / あの文字	は	どういう	意味ですか。

語句を覚えよう！

word ワード	コトバ	no smoking ノウ スモウキング	禁煙
sign サイン	記号	off-limits オフ リミッツ	立入禁止
mark マーク	しるし	no photography ノウ フォトグラフィ	撮影禁止
letter レター	文字	one way ワン ウェイ	一方通行
spelling スペリング	スペル	no parking ノウ パーキング	駐車禁止

UNIT 90 What does ～ mean?

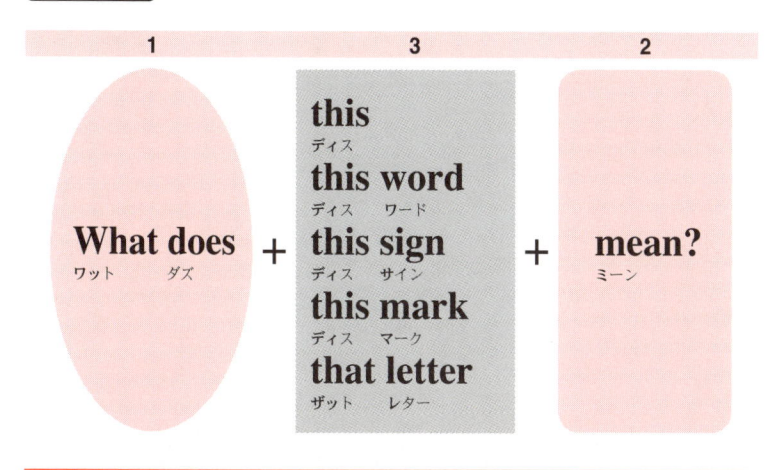

1 What does
ワット ダズ

+

3
this
ディス
this word
ディス　ワード
this sign
ディス　サイン
this mark
ディス　マーク
that letter
ザット　レター

+

2 mean?
ミーン

mini 会話

A：これはどういう意味ですか。　What does this mean?
B：「禁煙」という意味です。　　It means "no smoking."
A：では、あれは？　　　　　　　How about that one?
B：一方通行の標識です。　　　　It means "one way."

Point mean ＝意味する。海外では、日本と似ているものもありますが、かなり様相が違った形の標識や記号などもあります。思わぬことが違法行為に当たるということにもなりかねないので、その都度、恥ずかしがらずに聞いてみましょう。そんな時の決まり表現です。

UNIT 91 CD-91

■ 経験を尋ねる

（あなたは）〜したことが ありますか。

3		2		1
日本	へ	行った		（あなたは）がありますか。
ディズニーランド			こと	
日本の歌舞伎		見た		
Jポップ	を	聞いた		
刺身		食べた		

語句を覚えよう！

have been to Japan ハヴ ビーン トゥ ジャパン	日本に行ったことがある	seaweed シーウィード	海苔
Disneyland ディズニー ランド	ディズニーランド	kimono キモノ	着物
Japanese kabuki ジャパニーズ カブキ	日本の歌舞伎	snow スノウ	雪
Japanese pops ジャパニーズ ポップス	Jポップ	ski スキー	スキー／スキーをする
sashimi サシミ	刺身	Shinkansen シンカンセン	新幹線

UNIT 91 Have you ever 〜 ?

1	2	3
Have you ever ハヴ ユー エヴァー	been ビーン	to トゥ Japan? ジャパン / Disneyland? ディズニーランド
	seen シーン	Japanese kabuki? ジャパニーズ カブキ
	heard ハード	Japanese pops? ジャパニーズ ポップス
	eaten イートゥン	sashimi? サシミ

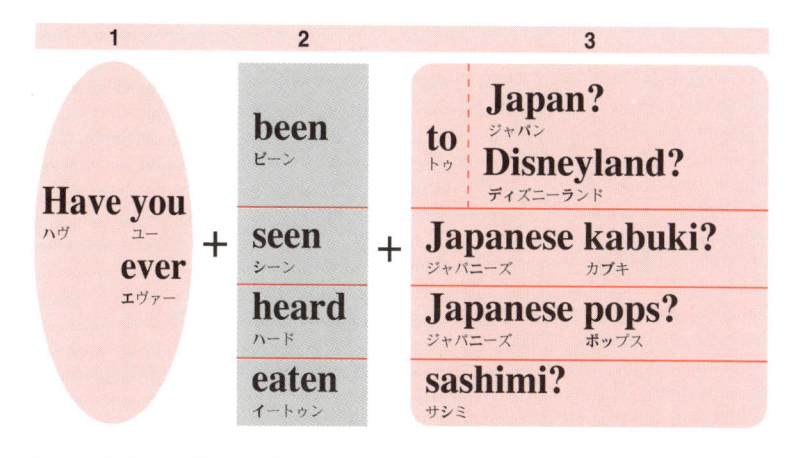

mini 会話

A：日本へ行ったことがありますか。 Have you ever been to Japan?
B：２年前に行きました。 I went there two years ago.
A：歌舞伎を見たことがありますか。 Have you ever seen kabuki?
B：いや、ないです。 No, I haven't.

Point 「〜（場所）に行ったことがありますか？」は go という動詞を使わずに、be 動詞を使って Have you ever been to 〜（場所）？と覚えましょう。この質問には動詞の過去分詞という形が使われますが、よく使われる動詞の過去分詞形は形が不規則に変化するので、辞書などで確認してください。

UNIT 92 — 経験を語る
私は〜したことがあります。

1	4	3	2
私は	ナイアガラの滝へ以前そこへ	行った	があります。
	あの映画を	見た こと	
	ニューヨークに	住んだ	
	ＩＢＭで３年間	働いた	

語句を覚えよう！

Niagara Falls ナイアガラ フォールズ	ナイアガラの滝	for six months フォー シックス マンス	半年間
before ビフォー	以前に	for a while フォー ア ワイル	しばらくの間
movie ムーヴィー	映画	for a few days フォー ア フュー デイズ	２、３日の間
live in New York リーヴ イン ニューヨーク	ニューヨークに住む	for a week フォー ア ウィーク	１週間
work for IBM ワーク フォ アイビーエム	ＩＢＭで働く	for a year フォー ア イアー	１年間

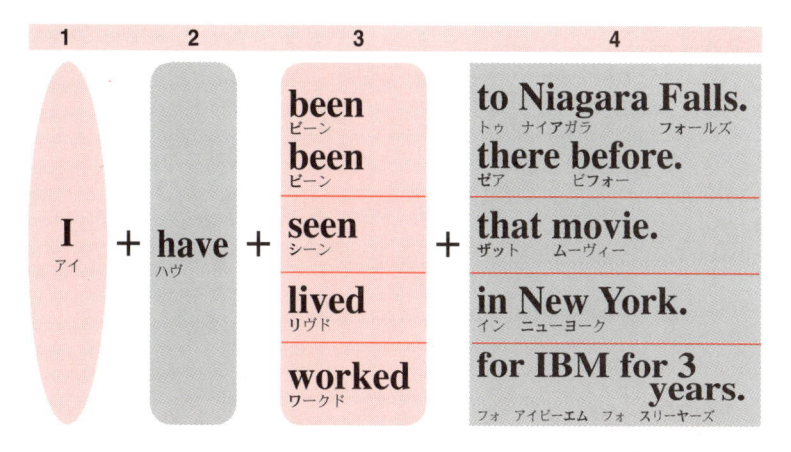

UNIT 92 CD-92 I have ～.

1	2	3	4
I (アイ)	have (ハヴ)	been (ビーン)	to Niagara Falls. (トゥ ナイアガラ フォールズ)
		been (ビーン)	there before. (ゼア ビフォー)
		seen (シーン)	that movie. (ザット ムーヴィー)
		lived (リヴド)	in New York. (イン ニューヨーク)
		worked (ワークド)	for IBM for 3 years. (フォ アイビーエム フォ スリーヤーズ)

mini 会話

A：日本へ行ったことがありますか。
Have you ever been to Japan?

B：いえ。でも日本のＴＶドラマを見たことがあります。
No. But I have seen Japanese TV dramas.

Point
「～したことがある。」という経験を表す基本表現です。時間の長さ、「～間」は for を使って表わします。a few は「少し」というあいまいな数を表す言葉で、だいたい２～３くらいと考えてください。ですから、for a few minutes だったら、だいたい「２、３分間」ということになります。

197

UNIT 93 ●経験
私は〜したことがない。

1	4	3	2
私は	オーストラリア / シドニー へ	行った	
	コアラ	見た	こと がない。
	イギリスの小説 を	読んだ	
	フランス語	勉強した	

語句を覚えよう！

Australia オーストラリア	オーストラリア	New Zealand ニュー ジーランド	ニュージーランド
Sydney シドニー	シドニー	Auckland オークランド	オークランド
koala コゥアラ	コアラ	Italian イタリアン	イタリア語
British novels ブリティッシュ ノヴェルズ	イギリスの小説	German ジャーマン	ドイツ語
French フレンチ	フランス語	Russian ラシャン	ロシア語

UNIT 93　I have never 〜 .

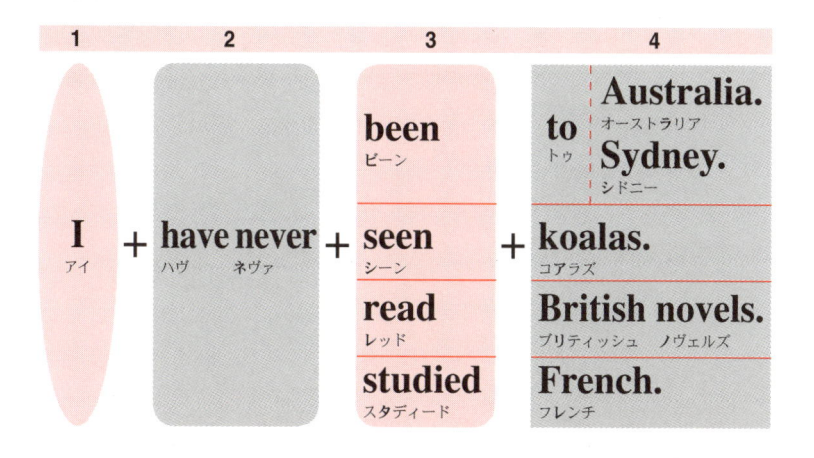

1	2	3	4
I アイ	have never ハヴ ネヴァ	been ビーン	to トゥ　Australia. オーストラリア / Sydney. シドニー
		seen シーン	koalas. コアラズ
		read レッド	British novels. ブリティッシュ ノヴェルズ
		studied スタディード	French. フレンチ

mini 会話

A：コアラを見たことがありません。どこで見られますか。
I have never seen koalas. Where can I see them?

B：シドニーの動物園にいますよ。
You can see them at the zoo in Sydney.

Point read「読む」(リード)という動詞は、過去形が read と書いて「レッド」と読む、他の動詞とはちょっと違う、例外的な変化をします。過去分詞形も read と書いて「レッド」と読むのです。この他にも、put「置く」や cut「切る」などは過去形、過去分詞形で、形も発音も変わらない動詞の一例です。

UNIT 94
CD-94

■ 知っているかどうかを聞く
（あなたは）〜をご存知ですか。

2
- 日本の首相
- 新しい情報
- それはどこか
- どうすればいいか
- 日本の相撲

を

1
（あなたは）ご存知ですか。

語句を覚えよう！

new information ニュー インフォメイション	新しい情報	latest news レイテスト ニューズ	最新のニュース
Japanese sumo ジャパニーズ　スモウ	日本の相撲	train accident トレイン アクシデント	列車の事故
Mt. Fuji マウント フジ	富士山	dialect ダイアレクト	方言
earthquake アースクウェイク	地震	dancing ダンシング	踊り
hot springs ホット スプリングス	温泉	folk songs フォーク ソングズ	民謡

UNIT 94 Do you know ～?
CD-94

Do you know (ドゥー ユー ノウ) +
- the prime minister of Japan? (ザ プライム ミニスター オブ ジャパン)
- any new information? (エニィ ニュー インフォメイション)
- where it is? (ウェア イット イズ)
- how to do it? (ハウ トゥ ドゥ イット)
- about Japanese sumo? (アバウト ジャパニーズ スモウ)

mini 会話

A：日本の相撲をご存知ですか。 Do you know about Japanese sumo?
B：ＴＶで見たことがあります。 I have seen it on TV.
力士は大きいですね。 The wrestlers are big.

Point 外国へ行って分からないことを、現地の人に聞くには、この表現が役に立つ。know about の about は、「～について」の意味。latest「最新の」はいろいろな場面で応用できます。the latest fashion「最新のファッション」や、the latest trend「最新のトレンド」など、話題に乗り遅れないためにも、新しいものに敏感でいたいものですね。

UNIT 95 ～を助言してくださいませんか。

助言を求める表現

2		1
いいレストラン / 一番安いお店 / 私に似合う物	を	助言してくださいませんか。
どこへ行けばいい / どうすればいい	か	

語句を覚えよう！

good restaurant (グッド レストラント)	いいレストラン	today's special (トゥデイズ スペシャル)	今日のおすすめ料理
the cheapest store (ザ チーペスト ストア)	一番安い店	loss leader (ロス リーダー)	目玉商品
what suits me (ワット スーツ ミー)	私に似合う物	a bargain (ア バーゲン)	お買い得品
where I should visit (ウェア アイ シュド ヴィジット)	どこへいけばいいか	special products of this district (スペシャル プロダクツ アブ ディス ディストリクト)	ここの名産品
what I should do (ワット アイ シュド ドゥ)	どうすればいいか	sightseeing spots around here (サイトシーイング スポッツ アラウンド ヒア)	ここの観光名所

UNIT 95 Could you suggest ～ ?
CD-95

Could you suggest +
- a good restaurant?
- the cheapest store?
- what suits me?
- where I should visit?
- what I should do?

mini 会話

A：すみません。カメラを買うのにどこのお店がいいですか。 Excuse me. Could you suggest where I can buy a camera?
B：新宿のヨドヤマカメラがいいですよ。 I suggest Yodoyama Camera in Shinjuku.
A：なぜ？ Why?
B：安くて品物が豊富だから。 They have a variety of goods at reasonable prices.

Point suggest（提案する、助言する）という動詞はtellなどの動詞と違い、あとに、meなどの人を表わす言葉がこないのが特徴です。また、薬を買うときなどには、Could you suggest something for a cold?「何か風邪に効くものを教えてください。」というような使い方もあります。文化の違う土地では何かと助言が必要なことが多いですね。

Part 3

とっさの時に役立つ
単語集 2800

あ （重要語句はゴシック表示）

愛／愛する love ラヴ
　＜私はあなたが好きです。＞
　I love you. アイ・ラヴ・ユー
挨拶する greet グリート
愛情　　love ラヴ
アイスクリーム
　　　　ice cream アイスクリーム
あいだ　space スペイス
会う　see, meet シー、ミート
青　　blue ブルー
赤　　red レッド
赤ちゃん baby ベイビー
明るい bright ブライト
秋　　fall/autumn フォール／オータム
諦める give up ギヴ・アップ
飽きる　tired of タイアード・オヴ
開く／開ける
　　　　open オウプン
握手する shake hands シェイク ハンズ
あご（顎）chin チン
朝　　morning モーニング
麻　　　linen リネン
浅い　　shallow シャロウ
あさって（明後日）
　　　　the day after tomorrow
　　　　ザ・デイ・アフター・トモロウ
脚・足　leg, foot(feet)
　　　　レッグ、フット（フィート）
味　　　taste テイスト
アジア　Asia エイジア
明日　tomorrow トモロウ
預かる／預ける
　　　　take charge of/leave
　　　　テイク・チャージ・オヴ／リーヴ

汗　　　sweat スウェット
遊ぶ　　play プレイ
与える　give ギヴ
暖かい　warm ウォーム
頭　　　head ヘッド
新しい　new ニュー
あちら　over there オウヴァ・ゼア
厚い　　thick シック
熱い　hot ホット
暑い　hot ホット
集まる　get together
　　　　ゲット・トゥゲザー
集める　gather ギャザー
後(あと) after アフター
　〜の後 after 〜アフター
　後で　later レイター
あなた／あなたがた
　　　　you/you ユー／ユー
兄　　　older brother
　　　　オウルダー・ブラザー
姉　　　older sister
　　　　オウルダー・シスター
あの　that ザット
アフターサービス
　　　　warranty service
　　　　ウォランティ・サーヴィス
危ない（危険）
　　　　dangerous デインジャラス
油　　　oil オイル
甘い　　sweet スウィート
雨／雨が降る　　rain レイン
　＜雨が降る＞ It rains. イット・レインズ
アメリカ The United States of America
　　　　ザ・ユナイテッド・ステイツ・
　　　　オヴ・アメリカ
謝る　　apologize アポロジャイズ

日本語	英語	カタカナ
洗う	wash	ウォッシュ
ありがとう	Thank you.	サンキュー
歩く	walk	ウォーク
あれ	that	ザット
暗記する	learn by heart/memorize	ラーン・バイ・ハート／メモライズ
安心／安心する	relief/be relieved	リリーフ／リリーヴド
安全な	safe	セイフ
案内する	show around	ショウ・アラウンド

い

日本語	英語	カタカナ
胃	stomach	ストマック
＜胃が痛い＞	I have a stomachache.	アイ・ハヴ・ア・スタマケイク
いい（良い）	good	グッド
いいえ	No.	ノウ
言う	say	セイ
家	house	ハウス
いかがですか	How about ~?	ハウ・アバウト～
怒る	get angry	ゲット・アングリー
息	breath	ブレス
息苦しい	suffocating	サファケイティング
生きる	live	リヴ
イギリス	United Kingdom(U.K.)	ユナイテッド・キングダム
行く	go	ゴウ
いくつ	How many ~?	ハウ・メニィ
いくら	How much ~?	ハウ・マッチ
いくらか	some	サム
池	pond	ポンド
意見	opinion	オピニオン
居心地がいい	comfortable	カンフォタブル
石	stone	ストーン
医師／医者	doctor	ドクター
意志	will	ウィル
以上	more than	モア・ザン
異常	abnormal	アブノーマル
意地悪い	mean	ミーン
椅子	chair	チェアー
いずれにせよ／ともかく	anyway	エニウェイ
遺跡	ruins	ルインズ
忙しい	busy	ビジー
急ぐ	rush	ラッシュ
痛い／痛み／痛む	painful/pain/hurt	ペインフル／ペイン／ハート
炒める／炒めた料理	stir-fry	スター・フライ
一	one	ワン
一時間	one hour	ワン・アワー
一度	once	ワンス
一日中	all day	オール・デイ
市場	market	マーケット
いちじるしい	excessive	エクセッシヴ
いつ	when	ウェン
いつか	some time	サム・タイム
一所懸命	hard	ハード

いっしょに	together	トゥゲザー
いつでも	whenever	ウェネバー
いっぱい	many/much	メニー／マッチ
一般に	generally	ジェネラリー
いつまでも	forever	フォーエバー
いつも	always	オールウェイズ
糸	string	ストリング
従兄弟（いとこ）	cousin	カズン
田舎	country side	カントリー・サイド
犬	dog	ドッグ
命	life	ライフ
祈る	pray	プレイ
威張る	put on airs	プット・オン・エアーズ
衣服	clothes	クロウズ
今	now	ナウ
意味	meaning	ミーニング
イーメイル	e-mail	イーメイル
妹	younger sister	ヤンガーシスター
いやしい	greedy	グリーディ
いやだ	I don't like it.	アイ・ドント・ライク・イット
いらっしゃいませ	May I help you?	メイ・アイ・ヘルプ・ユー
入口	entrance	エントランス
要る	need	ニード
いらない	don't need	ドント・ニード
入れる	put in	プット・イン
色	color	カラー
祝う	celebrate	セレブレイト
印刷／印刷する	print	プリント
印象	impression	インプレッション
インド／インド人	India/Indian	インディ(アン)

う

ウイスキー	whiskey	ウイスキー
上	on/above	オン／アバヴ
ウエスト	waist	ウェイスト
ウエッブ	web	ウェブ
雨季	rainy season	レイニー・シーズン
受付	reception	レセプション
受け取る	receive	リシーヴ
動く／動かす	move	ムーヴ
牛	cow	カウ
失う	lose	ルーズ
後ろ	back	バック
薄い	thin	シン
うそ(嘘)	lie	ライ
歌	song	ソング
＜歌をうたう＞	sing a song	シング・ア・ソング
疑う	doubt	ダウト
疑わしい	fishy	フィッシー
うち(家)	house	ハウス
撃つ	shoot	シュート
美しい	beautiful	ビューティフル
写す	take	テイク
＜写真を写す＞	take a picture	テイク・ア・ピクチャー
腕時計	watch	ウォッチ
腕	arm	アーム
うどん	Japanese wheat noodle	

	ジャパニーズ・ウィート・ヌードル	運動	exercise/sport
			エクササイズ／スポーツ
奪う	deprive ディプライヴ	運動場（競技場）	
馬	horse ホース		stadium ステディアム
うまく（上手に）		運命	fate フェイト
	well ウェル		

え

絵	picture ピクチャー
うまい（おいしい）	
	delicious デリシャス
生まれる	be born ビ・ボーン
海	sea シー
生む	produce プロデュース
産む	give birth to ギヴ・バース・トー
恨む	resent リゼント
うらやむ／ねたむ	
	envy エンヴィ
売る／売れる	
	sell セル
うるさい	noisy ノイジー
うれしい	happy ハピー
浮気する	have an affair
	ハヴ・アン・アフェア
噂	rumor ルーマー
上着	jacket ジャケット
運	luck ラック
＜運がよい＞	lucky ラッキー
運河	canal キャナル
運送	transport トランスポート
運賃	fare フェア
運転／運転する	
	drive ドライヴ
運転免許証	
	driver's license
	ドライヴァーズ・ライセンス
国際運転免許証	
	international driver's license
	インターナショナル・ドライ
	ヴァーズ・ライセンス

絵	picture ピクチャー
エアコン	air conditioner
	エア・コンディショナー
エアメール	
	air mail エア・メイル
映画	movie ムーヴィー
＜映画を観る＞	see a movie
	シー・ア・ムーヴィー
映画館	movie theater
	ムーヴィー・シアター
英語	English イングリッシュ
衛星	satellite サテライト
栄誉	honor オナー
栄養	nutrition ニュートリッション
描く	draw ドロー
駅	station ステイション
エスカレーター	
	escalator エスカレイター
絵本	picture book ピクチャー・ブック
エビ	shrimp シュリンプ
偉い	great グレイト
選ぶ	choose チューズ
エレベーター	
	elevator エレヴェイター
演劇	play プレイ
延期／延期する	
	postponement/postpone
	ポストポーンメント・ポストポーン
エンジニア	

	engineer エンジニア
炎症	inflammation インフラメイション
援助／援助する	support サポート
演説／演説する	speech/make a speech スピーチ／メイク・ア・スピーチ
鉛筆	pencil ペンシル
遠慮／遠慮する	modesty/have modesty モデスティ／ハヴ・モデスティ

お

尾	tail テイル
おいしい	delicious デリシャス
王宮	palace パレス
王様	king キング
扇	fan ファン
応急手当	first aid ファースト・エイド
横断歩道	crossing クロッシング
往復	round trip ラウンド・トリップ
往復切符	a round trip ticket ア・ラウンド・トリップ・ティケット
多い	many/much メニー／マッチ
大いに	very ヴェリー
大きい	big ビッグ
大きさ	size サイズ
オーケー	okay オウケイ
大通り	main street メイン・ストリート
オートバイ	motorcycle モウターサイクル
おかしい（妙な）	strange ストレンジ
（面白い）	funny ファニー
（怪しい）	fishy フィッシー
おかず	dish ディッシュ
おかゆ	rice porridge ライス・ポーリッジ
起きる（目を覚ます）	wake up ウェイク・アップ
億	hundred million ハンドレッド・ミリオン
＜２億＞	two hundred million トゥー・ハンドレッド・ミリオン
置く	put プット
奥さん	wife ワイフ
憶病者・臆病な	coward カワード
送る	send センド
＜物を送る＞	send ～ センド ～
＜人を見送る＞	send ～ off センド ～ オフ
遅れる	be late ビ・レイト
起こす	wake ～ up ウェイク ～ アップ
怒る	get angry ゲット・アングリー
起こる	occur オカー
＜事件が起こる＞	incident occurs インシデント・オカーズ
＜火事が起きる＞	fire occurs ファイアー・オカーズ
伯父（おじ）	uncle アンクル
おじいさん	grandfather グランド・ファーザ
教える	teach ティーチ
おしぼり	moist washcloth モイスト・ウォッシュクロス
押す	push プッシュ

日本語	英語	カタカナ
お世辞	flattering	フラタリング
遅い	slow	スロウ
襲う	attack	アタック
恐ろしい	frightening	フライトニング
落ちついた	calm	カーム
落ちる	fall	フォール
夫	husband	ハズバンド
音	sound	サウンド
弟	younger brother	ヤンガー・ブラザー
男	man	マン
脅す	threaten	スレトゥン
訪れる	visit	ヴィジット
おととい／おととし	the day before yesterday /the year before last	ザ・デイ・ビフォー・イエスタデイ／ザ・イアー・ビフォー・ラスト
大人	adult	アダルト
おとなしい	quiet	クワイエット
踊る	dance	ダンス
驚く／驚かす	be surprised/surprise	ビ・サプライズド／サプライズ
同じ	same	セイム
叔母（おば）	aunt	アント
おばあさん	grandmother	グランド・マザー
おはよう	Good morning.	グッド・モーニング
オフィス	office	オフィス
オペレーター	operator	オペレイター
覚える	memorize	メモライズ
おめでとう	Congratulations.	コングラチュレイションズ
重い	heavy	ヘヴィ
思い出	memory	メモリー
思い出す	recall	リコール
思う	think	シンク
おもしろい	funny	ファニー
おもな	main	メイン
親	parent	ペアレント
おやすみなさい	Good night.	グッド・ナイト
泳ぐ	swim	スウィム
降りる ＜バスを降りる＞	get off the bus	ゲット・オフ・ザ・バス
＜下に降りる＞	go down	ゴウ・ダウン
お礼	thank	サンク
折れる	break off	ブレイク・オフ
オレンジ	orange	オレンジ
オレンジ色	orange	オレンジ
オレンジジュース	orange juice	オレンジ・ジュース
愚かな	silly	シリー
終わる／終り	finish/end	フィニッシュ／エンド
音楽	music	ミュージック
温泉	hot spring	ホット・スプリング
温度	temperature	テンプレチャー
女	woman	ウーマン
オンライン	on-line	オンライン

か

蚊	mosquito モスキート

ガールフレンド
  girlfriend ガールフレンド
階 floor フロア
 ＜3F＞ third floor サード・フロア
海外 overseas オウヴァーシーズ
 海外旅行 traveling overseas トラヴェリング・オウヴァーシーズ
海岸 beach ビーチ
会議 meeting ミーティング
海軍 navy ネイヴィ
会計 accounting アカウンティング
外国 foreign country フォーリン・カントリー
 外国語 foreign language フォーリン・ラングエジ
 外国人 foreigner フォリナー
会社 company カンパニー
 会社員 business person ビジネス・パーソン
外出／外出する
  go out ゴウ・アウト
快晴 sunny サニー
解説する comment コメント
改善／改善する
  improvement/improve インプルーヴメント／インプルーヴ
海鮮料理 seafood シーフード
階段 stairs ステアーズ
快適な comfortable カンフォタブル
ガイド guide ガイド
開発／開発する
  development/develop ディ**ヴェ**ロップメント／ディ**ヴェ**ロップ
 ＜新製品を開発する＞
  develop a new product ディヴェロップ・ア・ニュー・プロダクト
買物 shopping ショッピング
 ＜買物をする＞ go shopping ゴウ・ショッピング
会話 conversation コンヴァ**セ**イション
 ＜会話をする＞ have conversation ハヴ・コンヴァ**セ**イション
買う buy バイ
飼う keep キープ
カウンター
  counter カウンター
返す take back テイク・バック
換える exchange エクス**チェ**ンジ
変える change チェンジ
帰る go home ゴウ・ホウム
顔 face フェイス
顔色 complexion コンプレクション
香り fragrance フレグランス
価格 price プライス
化学 chemistry ケミストリィ
科学 science サイエンス
鏡 mirror ミラー
係員 attendant アテンダント
（時間が）かかる
  take テイク
 ＜3時間かかる＞
  It takes three hours. イット・テイクス・スリー・アワーズ
柿 persimmon パーシモン

カキ（牡蠣）		（水を掛ける）	pour/splash プアー／スプラッシュ
	oyster オイスター	（2に3を掛ける）	multiply 2 by 3 マルティプライ・トゥー・バイ・スリー
鍵	key キー		
書留	registered mail レジスタード・メイル	**過去**	past パスト
書く	write ライト	**傘**	umbrella アンブレラ
（絵を）描く		飾る	decorate デコレイト
	draw ドロー	菓子	sweets スウィーツ
家具	furniture ファニチャー	火事	fire ファイアー
確実な	sure シュア	賢い	wise ワイズ
学者	scholar スカラー	過失	error エラー
学習／学習する		歌手	singer シンガー
	study スタディ	**貸す**	lend レンド
学生	student スチューデント	＜お金を貸す＞	lend money レンド・マネー
拡大／拡大する			
	expansion/expand イクスパンション／イクスパンド	**数**	number ナンバー
		ガス	gas ギャス
学長	chancellor チャンセラー	**風**	wind ウィンド
確認／確認する		**風邪**	cold コウルド
	confirmation/confirm コンファーメーシャン／コンファーム	＜風邪をひく＞	catch a cold キャッチ・ア・コウルド
学年	grade グレイド	数える	count カウント
学部	department ディパートメント	＜お金を数える＞	count money カウント・マネー
＜経済学部＞		**家族**	family ファミリー
	the department of economics ザ・ディパートメント・オヴ・エコノミクス	ガソリン	gasoline ギャソリーン
		ガソリンスタンド	
			gas station ギャス・ステイション
革命	revolution レヴォリューション	肩	shoulder ショウルダー
学問	study スタディ	固い	hard ハード
学歴	academic background アカデミック・バックグラウンド	片付ける	clear up クリア・アップ
		片道	one way ワン・ウェイ
影・陰	shadow シャドウ	片道切符	
賭ける	bet ベット		one-way ticket ワン・ウェイ・ティケット
掛ける	hang ハング		

213

語る	tell about テル・アバウト	カバン	bag バッグ
価値	value ヴァリュー	花瓶	vase ヴェイス
課長	section head セクション・ヘッド	株	stock ストック
勝つ	win ウィン	かぶる	wear ウェア
学科	subject サブジェクト	壁	wall ウォール
がっかりする		貨幣	currency カレンシー
	be disappointed ビ・ディサポインティッド	かぼちゃ	pumpkin パンプキン
		我慢する（耐える）	
学期	semester セメスター		be patient ビ・ペイシャント
楽器	instrument インストゥルメント	神（様）	God ゴッド
カッコがいい		**紙**	paper ペイパー
	look(s) cool ルック・クール	**髪**	hair ヘアー
＜カッコが悪い＞ look(s) funny ルック・ファニー		かみそり	razor レイザー
		髪の毛	hair ヘアー
学校	school スクール	噛む	bite バイト
勝手に	freely フリーリー	**カメラ**	camera キャメラ
		画面	screen スクリーン
家庭	home ホウム	科目	subject サブジェクト
角	corner コーナー	かゆ(粥)	rice porridge ライス・ポリッジ
家内	wife ワイフ	かゆい（痒い）	
かなわない（願いなどが）			itchy イッチー
	doesn't come true ダズント・カム・トゥルー	火曜日	Tuesday チューズデイ
		～から、	from ～フロム
悲しい	sad サッド	カラオケ	karaoke カラオケ
悲しむ	feel sad フィール・サッド	カラーテレビ	
必ず	for sure フォー・シュア		color TV カラー・ティー・ヴィー
＜必ず行く＞ go for sure ゴウ・フォー・シュア		**辛い**	hot ホット
		辛子	mustard マスタード
かなり	fairly フェアリー	烏	crow クロウ
＜かなり上手＞		ガラス	glass グラス
	fairly well フェアリー・ウェル	からだ（体・身体）	
カニ	crab クラブ		body バディ
金(お金)	money マネー	体がだるい	
＜金を払う＞ pay money ペイ・マネー			feel lazy フィール・レイズィ
金持ち	rich person リッチ・パーソン	カリキュラム	
彼女	she シー		curriculum カリキュラム

仮縫いする			間隔	distance ディスタンス
	baste ベイスト		乾季	dry season ドライ・シーズン
借りる	borrow ボロウ		缶切り	can opener キャン・オウプナー
＜金を借りる＞ borrow money			環境	environment
	ボロウ・マネー			エンヴァイランメント
軽い	light ライト		関係	relation リレイション
彼	he ヒー		＜国際関係＞ international relations	
カレー	curry カリー			インターナショナル・リレイ
カレーライス				ションズ
	curry and rice		＜私は関係ない＞	
	カリー・アンド・ライス			none of my business
カレンダー				ナン・オヴ・マイ・ビジネス
	calendar キャレンダー		**歓迎／歓迎する**	
カロリー calorie キャロリー				welcome ウェルカム
川	river リヴァー		**観光**	sightseeing サイトシーイング
皮	leather レザー		観光旅行	
かわいい cute キュート				sightseeing tour
かわいそう				サイトシーイング・トゥアー
	poor プア		（〜に）関しては	
乾く／乾かす				about アバウト
	dry ドライ		看護／看護する	
代わりに instead インステッド				nurse ナース
変わる	change チェンジ		看護婦／士	
間（かん） for フォー				nurse/male nurse
＜１年間＞ for one year				ナース／メイル・ナース
	フォー・ワン・イヤ		観察／観察する	
缶	can キャン			observation/observe
ガン（癌）cancer キャンサー				オブザヴェイション・オブザーヴ
肝炎	hepatitis ヘパタイタス		漢字	Chinese character
考え／考える				チャイニーズ・キャラクター
	thought/think ソート／シンク		患者	patient ペイシャント
＜問題を考える＞			感情	emotion イモウション
	think about the problem		**勘定／勘定する**	
	シンク・アバウト・ザ・プロブレム			calculation/calculate
眼科	eye doctor アイ・ドクター			カルキュレイション／カル
感覚	sense センス			キュレイト

	<お勘定して下さい>	Check, please. チェック・プリーズ	木・樹	tree トゥリー
感謝／感謝する			黄色	yellow イエロウ
	thank サンク		消える	disappear ディサピアー
感じる	feel フィール		記憶	memory メモリー
関心	interest インタレスト		機会	opportunity オパチューニティ
(〜に関心がある)			機械	machine マシーン
	be interested in 〜 ビ・インタレスティッド・イン		議会	assembly アッサンブリィ
			気軽に	feel free フィール・フリー
関節	joint ジョイント		期間	period ピリオド
肝臓	liver リヴァー		機関	organization オーガニゼイション
勘違いをする			聞く	listen リッスン
	misunderstand ミスアンダースタンド		<音楽を聞く>	listen to music リッスン・トゥ・ミュージック
官庁	government office ガヴァメント・オフィス		危険な	dangerous ディンジャラス
官庁街	government office quarter ガヴァメント・オフィス・クォーター		機嫌がいい／わるい	be in a good/bad mood ビ・イン・ア・グッド／バッド・ムード
缶詰	canned food キャンド・フード		期限	deadline デッドライン
乾電池	battery バテリー		気候	climate クライメット
頑張る	try hard トライ・ハード		記号	sign サイン
看板	signboard サイン・ボード		帰国	go back to one's own country ゴウ・バック・トゥ・ワンズ・オウン・カントリー
慣用句	idiom イディオム			
管理する	administer アドミニスター		技師	clergyman クラージィマン
管理人	superintendent スーパーインテンデント		汽車	train トレイン
完了／完了する			記者	reporter リポーター
	finish フィニッシュ		傷	scar スカー
			キス	kiss キス
き			<キスをする>	kiss 〜キス
気にいる	like ライク		季節	season シーズン
気にしない			北	north ノース
	don't care ドント・ケア		汚い	dirty ダーティ
気をつける			貴重品	valuables ヴァリュアブルズ
	be careful ビ・ケァフル		きちんとしている	

	neat ニート			休憩時間
きつい	(窮屈な)			break ブレイク
	tight タイト		急行	express エクスプレス
（仕事が大変）hard ハード			休日	day off デイ・オフ
きっと	be sure ビ・シュア		宮殿	palace パレス
喫茶店	coffee shop コフィ・ショップ		牛肉	beef ビーフ
切手	stamp スタンプ		牛乳	milk ミルク
切符	ticket ティケット		給油する put gas プット・ギャス
絹	silk シルク		キュウリ cucumber キューカンバー
昨日	yesterday イェスタディ		給料	salary サラリー
茸（きのこ）			今日	today トゥデイ
	mushroom マッシュルーム		教育／教育する
厳しい	strict ストリクト			education/educate
寄付する donate ドウネイト			エデュケイション／エデュケイト
気分がいい／わるい			教科書	textbook テキストブック
	feel well/sick		教師	teacher ティーチャー
	フィール・ウェル／シック		狭心症	angina pectoris
希望／希望する				アンジァイナ・ペクトリス
	hope ホウプ		行事	event イヴェント
決まる／決める			教室	classroom クラスルーム
	decide ディサイド		教授	professor プロフェッサー
奇妙な	strange ストレインジ		強制／強制する
義務	duty デューティ			force フォース
客	customer カスタマー		競争／競争する
キャッシュカード				competition/compete
	cash card キャッシュ・カード			コンペティション／コンピート
キャベツ cabbage キャベッジ			兄弟	brother ブラザー
キャンセル／キャンセルする			興味がある
	cancel キャンセル			be interested in~
キャンパス				ビ・インタレスティッド・イン
	campus キャンパス		興味深い interesting インタレスティング
九	nine ナイン		協力／協力する
休暇	vacation ヴァケイション			cooperation/cooperate
救急車	ambulance アンビュランス			コーパレイション／コーオポレイト
休憩／休憩する			許可／許可する
	rest レスト			permission/permit

	パーミッション／パーミット
漁業	fishery フィシャリー
去年	last year ラスト・イアー
距離	distance ディスタンス
嫌いだ	hate ヘイト
気楽に	carefree ケアフリー
霧	fog フォッグ
切る	cut カット

＜野菜を切る＞ cut up the vegetable カット・アップ・ザ・ヴェジタブル

着る	wear ウェア

＜服を着る＞ wear clothes ウェア・クロウズ

きれいな	clean クリーン
キログラム	kilogram キログラム
キロメートル	kilometer キロミター
金	gold ゴウルド
金額	amount of money アマウント・オブ・マネー
銀	silver シルヴァー
銀行	bank バンク
近視	nearsighted ニァサイティッド
禁止／禁止する	ban バン
金星	Venus ヴィーナス
金銭	money マネー
勤勉な	diligent ディリジェント
金曜日	Friday フライデイ

く

九	nine ナイン
空軍	air force エア・フォース
空港	airport エアポート
草	grass グラス
臭い	smelly スメリィ
腐る	rot ロット
櫛	comb コウム
屑	waste ウェイスト
屑かご	wastebasket ウェイストバスケット

くすぐったい tickle ティクル

薬	medicine メディスン
管	pipe パイプ

（〜を）下さい
　＜これを下さい＞ Can I have this? キャン・アイ・ハヴ・ディス

果物	fruit フルート
口	mouth マウス
唇	lip リップ
口紅	lipstick リップスティック
靴	shoes シューズ
靴下	socks ソックス
国	country カントリー
首	neck ネック
熊	bear ベア
組合	union ユニオン

（労働組合） labor union レイバー・ユニオン

雲	cloud クラウド
悔しい	vexed ヴェクスト
暗い	dark ダーク
グラス	glass グラス
比べる	compare コンペア
グラム	gram グラム
クリスマス	Christmas クリスマス
来る	come カム
グループ	group グループ
苦しい	painful ペインフル

車	car カー
	＜車を運転する＞ drive a car ドライヴ・ア・カー
	＜車に乗る＞ get in a car ゲット・イン・ア・カー
	＜車を降りる＞ get out of a car ゲット・アウト・オヴ・ア・カー
黒（色）	black ブラック
グレー	gray グレイ
加える	add アッド
詳しい	know well ノウ・ウェル
軍	army アーミー
軍人	soldier ソルジャー
軍隊	army アーミー

け

毛	hair ヘアー
経営／経営する	management/manage マネージメント／マネージ
	＜会社を経営する＞ manage a business マネージ・ア・ビズネス
（経営者）	business manager ビズネス・マネージャー
計画／計画する	plan プラン
経験／経験する	experience エクスピァリエンス
蛍光灯	fluorescent lamp フルレッセント・ランプ
経済	economy エコノミー
警察	police ポリース
警察署	police office ポリース・オフィス
計算／計算する	calculation/calculate カルキュレィション／カルキュレイト
芸術	art アート
携帯電話	cellular phone セルラー・フォン
競馬	horse race ホース・レィス
経費	expense エクスペンス
軽蔑／軽蔑する	contempt/hava a contempt for コンテンプト／ハヴ ア コンテンプト　フォア
契約／契約する	contract コントラクト
経歴	career キャリア
けいれん	convulsions カンヴァルジョンズ
怪我	injury インジュリー
ケーキ	cake ケイク
劇	play プレイ
今朝	this morning ディス・モーニング
景色	scenery シーナリー
消しゴム	eraser イレィサー
化粧／化粧する	makeup メイクアップ
化粧品	cosmetics コズメティックス
下車する	get off ゲット・オフ
下旬	the end of the month ジ・エンド・オヴ・ザ・マンス
消す	turn off ターン・オフ
	＜電気を消す＞ turn off the light ターン・オフ・ザ・ライト
けちな	stingy スティンジー
血圧	blood pressure

	ブラッド・プレッシャー		元気です I'm fine. アイム・ファイン
<血圧が高い/低い>		研究/研究する	
	I have high/low blood pressures. アイ・ハヴ・ハイ/ロー・ブラッド・プレッシャー		study スタディ
		<科学を研究する> study science スタディ・サイエンス	
結果	result リザルト	研究所	laboratory ラボラトリー
月給	salary サラリー	現金	cash キャッシュ
けっこうです（いらない）		言語	language ラングエージ
	No, thank you. ノウ・サンキュー	健康	health ヘルス
（ほめる時）		現在	present プレゼント
	It's good. イッツ・グッド	検査/検査する	
結婚/結婚する			inspection/inspect インスペクション/インスペクト
	marriage/marry マリッジ/マリー	検索/検索する	
決心/決心する			reference/refer to レファレンス/リファー・トゥ
	determination/determine ディターミネイション/ディターミン	減少/減少する	
			decrease ディクリース
欠席する		現代	today トゥデイ
	be absent from ビ・アブセント・フロム	建築/建築する	
			construction/construct コンストラクション/コンストラクト
月賦	installment インストールメント		
月曜日	Monday マンデイ	検討/検討する	
解熱剤	antifebrile アンティフェブリル		examination/examine イグザミネイション/イグザミン
下痢/下痢をする			
	diarrhea/have diarrhea ダイアリア/ハヴ・ダイアリア	見物する	
			see シー
蹴る	kick キック	憲法	constitution コンスティトューション
原因	cause コーズ		
けんか/けんかする		権利	right ライト
	fight ファイト		
見学/見学する		**こ**	
	observation/observe オブザヴェイション/オブザーヴ	子	child チャイルド
		五	five ファイヴ
玄関	entrance エントランス	濃い	thick/strong シック/ストロング

恋	love ラヴ
恋人	boyfriend/girlfriend ボーイフレンド／ガールフレンド
乞う	beg ベッグ
合意／合意する	agreement/agree アグリーメント／アグリー
幸運な	fortunate フォーチュネット
公園	park パーク
郊外	suburb サバーブ
公害	pollution ポリューション
後悔／後悔する	regret リグレット
合格／合格する	pass パス
交換／交換する	exchange エクスチェンジ
講義／講義する	lecture レクチャー
工業	industry インダストリー
航空会社	airline company エアライン・カンパニー
航空機	airplane エアプレイン
航空券	airline ticket エアライン・ティケット
航空便	airmail エアメイル
合計	total トウタル
高校	high school ハイ・スクール
広告	advertisement アドヴァタスメント
交際／交際する	dating/date デイティング／デイト
口座	account アカウント
銀行口座	bank account バンク・アカウント
公衆	public パブリック
公衆電話	pay phone ペイフォン
交渉／交渉する	negotiation/negotiate ネゴシエイション／ネゴシエイト
工場	factory ファクトリー
香水	perfume パーフューム
洪水	flood フラッド
抗生物質	antibiotic アンティバイオティック
高速道路	expressway エクスプレス・ウェイ
紅茶	black tea ブラック・ティー
校長	principal プリンシパル
交通	traffic トラフィック
交通事故	traffic accident トラフィック・アクシデント
交通渋滞	traffic jam トラフィック・ジャム
交番	police station ポリース・スティション
幸福	happiness ハピネス
興奮／興奮する	excitement/exciting エクサイトメント／エクサイティング
公務員	government employee ガヴァメント・エンプロィ
声	voice ヴォイス
きれいな声	clear voice クリア・ヴォイス
コーヒー	coffee コーフィ

コーラ	cola コウラ		午前	morning モーニング	
氷	ice アイス		午前中	in the morning インザモーニング	
誤解／誤解する misunderstanding/misunderstand ミスアンダースタンディング／ミスアンダースタンド			答／答える answer アンサー		
五月	May メイ		ご馳走さま Thank you for the food. サンキュー・フォー・ザ・フード		
小切手	check チェック		こちら	right here ライト・ヒア	
ゴキブリ	cockroach コックロウチ		国家	nation ネイション	
国王	king キング		国歌	national anthem ナショナル・アンセム	
国際的	international インターナショナル				
黒板	black board ブラック・ボード		国会	Diet（日）,Congress（米）, Parliament（英） ダイエット、コングレス、パーラメント	
国民	people ピープル				
国立の	national ナショナル				
国立図書館 national library ナショナル・ライブラリー			国会議員 member of Diet/Congress/Parliament メンバー・オヴ・ダイエット／コングレス／パーラメント		
ご苦労さま Good job! グッド・ジョブ					
ここ	here ヒア				
午後	afternoon アフタヌーン		国旗	national flag ナショナル・フラッグ	
午後に	in the afternoon インジアフタヌーン				
			国境	border ボーダー	
ココア	cocoa コウコウ		こっけいな funny ファニー		
ここから	from here フロム・ヒア				
ここで	here ヒア		小包	package パッケージ	
心	heart ハート		小包郵便 parcel post パースル・ポスト		
志す	hope ホウプ		コップ	glass グラス	
試みる	try トライ		今年	this year ディス・イアー	
腰	lower back ロワー・バック		異なった different ディファレント		
乞食	beggar ベガー				
胡椒	black/white pepper ブラック／ホワイト・ペパー		古典	classic クラシック	
			言葉	language ラングエージ	
個人	person パーソン		子供	child チャイルド	
小銭	change チェンジ		ことわざ proverb プラヴァーブ		

断る	say no セイ・ノウ
粉	powder パウダー
コネ	connection コネクション
この	this ディス
＜この本＞	this book ディス・ブック
＜このごろ＞	recently リセントリー
＜この辺＞	around here アラウンド・ヒア
好む	like ライク
この様な	like this ライク・ディス
ご飯	meal ミール
＜ご飯を食べる＞	have a meal ハヴ・ア・ミール
(〜に) ご無沙汰する	haven't seen 〜 ハヴント・シーン〜
こぼれる	spill スピル
胡麻	sesame セサミ
細かい	fine ファイン
困る	be troubled ビ・トラブルド
ゴミ	garbage ガービッジ
ゴミ箱	garbage can ガービッジ・キャン
小道	lane レイン
混む	crowded クラウディド
＜道が混む＞	the street is crowded ザ・ストリート・イズ・クラウディド
ゴム	rubber ラバー
小麦	wheat ウィート
米	rice ライス
ゴルフ	golf ゴルフ
これ	this ディス
〜頃	around 〜 アラウンド
殺す	kill キル
怖い	frightening フライトニング
壊す	break ブレイク
壊れる	be broken ビ・ブロークン
今回	this time ディス・タイム
今月	this month ディス・マンス
今後	from now on フロム・ナウ・オン
今週	this week ディス・ウィーク
今度	next time ネクスト・タイム
コンドーム	condom コンドーム
こんな	like this ライク・ディス
今日は	Hello. ハロー
今晩は	Good evening. グッド・イヴニング
コンピュータ	computer コンピューター
今夜	tonight トゥナイト
婚約／婚約する	engagement/get engaged エンゲイジメント／ゲット・エンゲイジド
婚約者	fiance (男) /fiancee (女) フィアンセ／フィアンセ

さ

サービス	service サーヴィス
サービス料	service charge サーヴィス・チャージ
歳(年齢)	years old イアーズ・オウルド
最近	lately レイトリー
財産	property プロパティー
最後の	last ラスト
最初の	first ファースト
最新の	latest レイテスト
サイズ	size サイズ
再入国	re-entry リエントリー

才能	talent タレント
裁判	court コート
裁判所	courthouse コートハウス
財布	wallet ウォレット
サイン／サインする	signature/sign シグネチャー／サイン
探す	look for ルック・フォー
魚	fish フィッシュ
魚を釣る	fish フィッシュ
下がる	go down ゴウ・ダウン
先	before ビフォー
＜お先に失礼＞	Excuse me going before you. エクスキューズ・ミー・ゴウイング・ビフォー・ユー
咲く	bloom ブルーム
＜花が咲く＞	flowers bloom フラワーズ・ブルーム
昨日	yesterday イエスタデイ
昨年	last year ラスト・イアー
作文	composition コンポジション
昨夜	last night ラスト・ナイト
酒	alcohol アルコホール
＜酒を飲む＞	drink alcohol ドリンク・アルコホール
＜酒に酔う＞	get drunk ゲット・ドランク
叫ぶ	shout シャウト
下げる	lower ロワー
＜値段を下げる＞	lower the price ロワー・ザ・プライス
刺身	sashimi サシミ
査証	visa ヴィザ
指す	point ポイント
＜指を指す＞	point ポイント

刺すような	piercing ピアスィング
座席	seat シート
＜座席に坐る＞	take one's seat テイク・ワンズ・シート
左折する	turn left ターン・レフト
冊（本など）	copy コピー
撮影／撮影する	shoot シュート
作家	author オーサー
さっき（さきほど）	just then ジャスト・ゼン
雑誌	magazine マガジン
殺虫剤	pesticide ペスティサイド
早速	right away ライト・アウェイ
さつまいも	sweet potato スウィート・ポテイト
砂糖	sugar シュガー
砂漠	desert デザート
錆／錆びる	rust ラスト
寂しい・淋しい	lonely ロンリー
寒い	cold コウルド
寒気	chill チル
＜寒気がする＞	feel a chill フィール・ア・チル
さもないと	otherwise アザーワイズ
さよなら	Good bye. グッド・バイ
皿	dish ディッシュ
サラダ	salad サラド
さらに	moreover モアオウヴァー
猿	monkey マンキー
さわる	touch タッチ

日本語	English	カタカナ
三	three	スリー
参加／参加する	join	ジョイン
産業	industry	インダストリー
産業廃棄物	industrial waste	インダストリアル・ウェイスト
残業	working over time	ワーキング・オゥヴァー・タイム
残念／残念です	be sorry	ビ・ソーリー
サンダル	sandal	サンダル
散髪する	get a haircut	ゲット・ア・ヘアカット
散歩する	go for a walk	ゴウ・フォー・ア・ウォーク

し

日本語	English	カタカナ
四	four	フォー
死	death	デス
字	letter	レター
CD	compact disk	コンパクト・ディスク
幸せ	happiness	ハピネス
椎茸	shiitake mushroom	シイタケ・マッシュルーム
寺院	temple	テンプル
塩	salt	ソルト
塩辛い	salty	ソルティ
鹿	deer	ディア
歯科	dentist	デンティスト
次回	next time	ネクストタイム
市外電話	out-of-town call	アウト・オヴ・タウン・コール
しかし	but	バット
しかしながら	however	ハウエヴァー
仕方がない	There's nothing I can do.	ゼアズ・ナッシング・アイ・キャン・ドゥー
四月	April	エイプリル
叱る	scold	スコウルド
時間	time	タイム
＜時間がかかる＞	it takes time	イット・テイクス・タイム
時間表	timetable	タイム・テイブル
四季	four seasons	フォー・シーズンズ
試験	examination	イグザミネイション
試験問題	examination question	イグザミネイション・クエスチョン
資源	resource	リソース
事故	accident	アクシデント
交通事故	traffic accident	トラフィック・アクシデント
自己紹介する	introduce oneself	イントルデュース・ワンセルフ
仕事	work	ワーク
＜仕事をする＞	work	ワーク
＜仕事を休む＞	take a day off	テイク・ア・デイ・オフ
辞書	dictionary	ディクショナリー
試食する	try	トライ
自信／自信がある	confidence/be confident	コンフィデンス／ビ・コンフィデント
地震	earthquake	アースクウェイク
静かな	quiet	クワイエット
システム	system	システム
自然	nature	ネイチャー

舌	tongue タング
下	under アンダー
～したい	want to ～ウォント・トゥ
時代	age エイジ
慕う	long for ロング・フォー
～したことがある	have ever ～ハヴ・エヴァー
親しい	be close ビ・クロウス
～した方がよい	had better ～ハド・ベター
従う	follow フォロー
下着	underwear アンダーウエア
七	seven セヴン
七月	July ジュライ
試着する	try it on トライ・イット・オン
シーツ	sheet シート
実業家	business person ビズネス・パーソン
失業／失業する	unemployment/lose one's job アンエンプロイメント／ルーズ・ワンズ・ジョブ
実に	actually アクチュアリー
失敗／失敗する	failure/fail フェイリア／フェイル
質問／質問する	question/ask questions クエスチョン／アスク・クエスチョンズ
失礼ですが	Excuse me エクスキューズ・ミ
失礼だ	rude ルード
失恋する	have a broken heart ハヴ・ア・ブロウクン・ハート
支店	branch office ブランチ・オフィス
自転車	bicycle バイシクル
指導／指導する	lead リード
自動車	car カー
市内	downtown ダウンタウン
品物	goods グッズ
死ぬ	die ダイ
芝居	play プレイ
支配人	manager マネージャー
しばしば	often オッフン
芝生	lawn ローン
支払い／支払う	payment/pay ペイメント／ペイ
しばらく	for a while フォー・ア・ワイル
縛る	tie タイ
耳鼻科医	otolaryngologist オトラリンガロジスト
自分	*oneself* ワンセルフ
自分自身	myself マイセルフ
自分で	by myself バイ・マイセルフ
脂肪	fat ファット
絞る	squeeze スクイーズ
しびれる	numbness ナムネス
資本	capital キャピタル
資本主義	capitalism キャピタリズム
島	island アイランド
事務所	office オフィス
氏名	full name フル・ネイム
使命	mission ミッション
示す	indicate インディケイト
閉める	close クロウズ

締めつけるような	constricting カンストリクティング
社員	employee エンプロイィ
社会	society ソサイアティ
じゃがいも	potato ポテイト
車庫	garage ガラージ
車掌	conductor コンダクター
写真	photo フォト
ジャスミン	jasmine ジャズミン
社長	president プレジデント
シャツ	shirt シャート
若干の	a little/a few ア・リトル／ア・フュー
借金	debt デット
邪魔する	interrupt インタラプト
ジャム	jam ジャム
シャワー	shower シャワー
週	week ウィーク
十	ten テン
銃	gun ガン
自由	freedom フリーダム
周囲	around アラウンド
十一月	November ノウヴェンバー
十月	October オクトウバー
習慣	habit ハビット
週刊誌	weekly magazine ウィークリー・マガジーン
集金／集金する	collection/collect コレクション／コレクト
宗教	religion リリジョン
従業員	employee エンプロイィ
集合する	gather ギャザー
修士	master's degree マスターズ・ディグリー
住所	address アドレス
就職する	get a job ゲット・ア・ジョブ
修正／修正する	revise リヴァイズ
渋滞／渋滞する	jam/be congested ジャム／ビ・コンジェスティッド
じゅうたん	carpet カーペット
終点（鉄道の）	terminus ターミナス
ジュース	juice ジュース
十二月	December ディセンバー
充分な	enough イナフ
充分です	That's enough. ザッツ・イナフ
シューマイ	shaomai シャオマイ
十万	one hundred thousand ワン・ハンドレッド・サウザンド
重要な	important インポータント
修理／修理する	repair リペア
授業	class クラス
宿題	homework ホームワーク
宿泊／宿泊する	stay スティ
手術／手術する	operation/have an operation オペレイション／ハヴ・アン・オペレイション
首相	prime minister プライム・ミニスター
主人	husband ハズバンド

日本語	English	カタカナ
出血する	bleeding	ブリーディング
出発／出発する	departure/leave	デパーチャ／リーヴ
首都	capital city	キャピタル・シティ
主婦	housewife	ハウスワイフ
趣味	hobby	ホビー
寿命	life span	ライフ・スパン
種類	kind	カインド
準備する	prepare	プリペア
ショウガ	ginger	ジンジャー
消化／消化する	digestion/digest	ダイジェスチョン／ダイジェスト
消火する	extinguish a fire	エクスティングイッシュ・ア・ファイアー
紹介する	introduce	イントロデュース
正月	New Year	ニュー・イアー
小学校	elementary school	エレメンタリー・スクール
乗客	passenger	パッセンジャー
商業	commerce	コマース
証券	securities	スキュリティーズ
条件	condition	コンディション
証拠	proof	プルーフ
正午	noon	ヌーン
詳細	detail	ディテイル
正直な	honest	オネスト
乗車する	get on	ゲット・オン
乗車券	ticket	ティケット
上旬	the beginning of the month	ザ・ビギニング・オヴ・ディス・マンス
上手な	be good at	ビ・グッド・アット
招待／招待する	invitation/invite	インヴィティシャン／インヴァイト
状態	state	ステイト
冗談／冗談をいう	joke	ジョウク
＜冗談でしょう＞	Are you kidding?	アー・ユー・キディング
商人	merchant	マーチャント
使用人	employee	エンプロイイ
商売	business	ビズネス
商標	trademark	トレイド・マーク
商品	product	プロダクト
上品な	elegant	エレガント
丈夫な	strong	ストロング
証明する	prove	プルーヴ
身分証明書	ID card	アイ・ディー・カード
正面	front	フラント
醤油	soy sauce	ソイ・ソース
将来	future	フューチャー
奨励／奨励する	encourage	エンカレッジ
初回（初めて）	first time	ファースト・タイム
除外する	leave out	リーヴ・アウト
職員	worker	ワーカー
職業	occupation	オキュペイション
食事	meal	ミール
＜食事をする＞	have a meal	ハヴ・ア・ミール
職場	workplace	ワークプレイス
食堂	cafeteria	キャフェテリア
植物	plant	プラント
食欲	appetite	アピタイト
＜食欲がない＞	I have no appetite.	

		アイ・ハヴ・ノー・アピタイト		コンサルティション
処女	virgin ヴァージン		寝室	bedroom ベッドルーム
女性	woman ウーマン		人種	race レィス
しょっぱい	salty ソルティ		真珠	pearl パール
ショッピング			**信じる**	believe ビリーヴ
	shopping ショッピング		申請する	apply アプライ
初日	first day ファースト・デイ		親戚	relative レラティヴ
署名／署名する			**親切な**	kind カインド
	signature/sign		**新鮮な**	fresh フレッシュ
	シグニチャー／サイン		**心臓**	heart ハート
書類	document ドキュメント		**身体**	body バディ
知らせる	tell テル		寝台車	sleeper スリーパー
調べる	check チェック		診断	diagnosis ダイアグノウシス
尻	bottom ボトム		新年	New Year ニュー・イアー
私立	private プライベイト		＜新年おめでとう＞	
（私立大学） private college				Happy New Year.
	プライベイト・カレッジ			ハッピー・ニュー・イアー
知る	know ノウ		心配する	worry ワーリー
汁	juice ジュース		**新聞**	newspaper ニューズペイパー
白（色）	white ワイト		進歩する	advance アドヴァンス
城	castle キャッスル		深夜	late at night
進学する go on to the next stage of				レイト・アト・ナイト
	education		信用する trust トラスト	
	ゴウ・オン・トゥ・ザ・ネクスト・ス		診療所	clinic クリニック
	テイジ・オヴ・エデュケイション		信頼する rely on リライ・オン	
心筋梗塞 myocardial infarction				
	マイアカーディアル・イン		# す	
	ファークション			
神経	nerve ナーヴ		酢	vinegar ヴィネガー
人口	population ポピュレイション		巣	nest ネスト
審査／審査する			**水泳**	swimming スウィミング
	examination/examine イグザ		すいか	watermelon ウォーターメロン
	ミネーション／イグザミン		水牛	water buffalo
紳士	gentleman ジェントルマン			ウォーター・バファロー
神社	shrine シュライン		水産	fishery フィッシャリー
診察	consultation		水準	level レヴェル
			水晶	crystal クリスタル

水上マーケット
　　　market on the water
　　　マーケット・オン・ザ・ウォーター
彗星　　comet コメット
空いている
　　　vacant ヴェイカント
水田　　paddy パディ
水道　　tap タップ
　水道の水 tap water
　　　タップ・ウォーター
睡眠　sleep スリープ
すみません
　　　Excuse me.
　　　エクスキューズ・ミー
水曜日　Wednesday ウェンズデイ
吸う　　inhale インヘィル
数字　number ナンバー
スーツ　suit スート
スープ　soup スープ
スカート skirt スカート
好きだ　like ライク
〜すぎる too トゥー
過ぎる　excessive エクセッシヴ
ズキズキ・ドキドキする
　　　throb スラブ
すく（お腹が）
　　　be hungry
　　　ビ・ハングリー
すぐに　soon スーン
少ない　little/few リトル／フュー
少なくとも
　　　at least アト・リースト
スケジュール
　　　schedule スケジュール
すごい　great グレイト
少し　　a little/a few
　　　ア・リトル／ア・フュー
涼しい　cool クール
すずめ　sparrow スパロウ
勧める　recommend レコメンド
スター　star スター
スタッフ staff スタッフ
頭痛　　headache ヘデイク
ずっと　for a long time
　　　フォー・ア・ロング・タイム
酸っぱい sour サワー
ステーキ steak ステイク
すてきだ nice ナイス
すでに　already オーレディ
捨てる　throw out スロウ・アウト
ストライキ
　　　strike ストライク
ストッキング
　　　hose ホウズ
砂　　　sand サンド
すなわち that is ザット・イズ
すばらしい
　　　wonderful ワンダフル
スプーン spoon スプーン
〜すべきだ
　　　should シュッド
すべて　all オール
滑る　　slip スリップ
スポーツ sport スポーツ
ズボン　slacks スラックス
炭　　　charcoal チャーコール
角　　　corner コーナー
住む　　live リヴ
スリッパ slippers スリッパーズ
する　　do ドゥー
　＜仕事をする＞ do one's work
　　　ドゥー・ワンズ・ワーク

ずるい	cunning カニング		政府	government ガヴァーメント
鋭い	sharp シャープ		制服	uniform ユニフォーム
座る	sit シット		生命	life ライフ

せ

背	back バック		西洋人	Westerner ウェスタナー
姓	last/family name ラスト／ファミリー・ネイム		西洋料理	Western cooking ウェスタン・クッキング
税	tax タックス		整理する（片付ける）	put them in order プット・ゼム・イン・オーダー
性格	personality パーソナリティ		**世界**	world ワールド
正確な	exact イグザクト		**席**	seat シート
生活	living リヴィング		＜席を外している＞	away from one's desk アウェイ・フロム・ワンズ・デスク
税関	customs カスタムズ			
税金	tax タックス			
清潔な	clean クリーン		咳	cough コフ
制限／制限する	limit リミット		責任	responsibility リスポンシビリティ
成功／成功する	success/succeed サクセス／サクシード		＜責任をとる＞	take responsibility テイク・リスポンシビリティ
生産／生産する	production/produce プロダクション／プロデュース		（責任者）	person in charge パーソン・イン・チャージ
			石油	petroleum oil ペトロリアム・オイル
政策	policy ポリシー		積極的	active アクティブ
政治	politics ポリティクス		設計／設計する	design ディザイン
政治家	statesman スティツマン			
性質	nature ネィチャー		石鹸	soap ソウプ
正常	normal ノーマル		絶対に	absolutely/at any cost アブサリュートリー／アト・エニィ・コスト
製造／製造する	manufacture マニュファクチャー			
			説明／説明する	explanation/explain イクスプラネィション／イクスプレイン
生徒	student ステューデント			
青年	young man ヤング・マン			
生年月日	birthday バースデイ			
性病	venereal disease ヴェネリアル・ディジーズ		節約する	cut down on expenses

		カット・ダウン・オン・イクスペンシズ		エレクトリック・ファン
背中	back バック		専門家	specialist スペシャリスト
ぜひ	by all means バイ・オール・ミーンズ		専門学校	vocational school ヴォウケイショナル・スクール

そ

背広	jacket ジャケット		ゾウ	elephant エレファント
狭い	narrow ナロウ		増加／増加する	increase インクリース
セメント	cement セメント		送金／送金する	remittance/remit レミッタンス／レミット
ゼロ	zero ゼロ			
千	thousand サウザンド			
線	line ライン		送迎／送迎する	see off/welcome シー・オフ／ウェルカム
選挙／選挙する	election/elect エレクション／エレクト			
			掃除／掃除する	cleaning/clean クリーニング／クリーン
先月	last month ラスト・マンス			
専攻科目／専攻する	major メイジャー		ソース	sauce ソース
			ソーセージ	sausage ソーセッジ
先日	the other day ジ・アザー・デイ		葬式	funeral フューネラル
先週	last week ラスト・ウィーク		相談する	consult コンサルト
扇子	fan ファン		双方	both of them ボウス・オヴ・ゼム
先生	teacher ティーチャー			
ぜんぜん	not at all ノット・アト・オール		総理大臣	prime minister プライム・ミニスター
戦争	war ウォー			
全体に	generally ジェネラリー		僧侶	monk モンク
洗濯機	washing machine ウォッシング・マシーン		俗語	slang スラング
			速達	special delivery スペシャル・ディリヴァリー
洗濯する	do the laundry ドゥー・ザ・ランドリー			
			ソケット	socket ソケット
センチメートル	centimeter センティミーター		底	bottom ボトム
			そして	and アンド
栓抜き	bottle opener ボトル・オウプナー		育つ／育てる	grow グロウ
洗髪する	wash one's hair ウォッシュ・ワンズ・ヘアー			
全部	all オール			
扇風機	electric fan			

そちら	there ゼア		代金	price プライス
卒業する	graduate グラジュエイト		大根	Japanese white radish ジャパニーズ・ワイト・ラディッシュ
袖	sleeve スリーヴ		**大使館**	embassy エンバシー
外	outside アウトサイド		体重	weight ウェイト
その通り	That's right. ザッツ・ライト		**大丈夫**	all right オール・ライト
そのような	like that ライク・ザット		大豆	soy bean ソイ・ビーン
そば(側)	near ニア		大臣	minister ミニスター
ソファー	sofa ソウファ		**大切**な	important インポータント
染める	dye ダイ ＜髪を染める＞ dye one's hair ダイ・ワンズ・ヘア		**たいてい**	usually ユージュアリー
空	sky スカイ		だいたい	about アバウト
剃る	shave シェイヴ		台所	kitchen キッチン
それ	that ザット		代表	representative リプリゼンタティヴ
それから	then ゼン		だいぶ	pretty プリティ
それだけ	only オンリー		大部分	for the most part フォー・ザ・モウスト・パート
それでは	now ナウ		大変(非常に)	very ヴェリィ ＜大変な仕事＞ hard work ハード・ワーク
それとも	or オー			
そろう	line up ライン・アップ		大便	feces フィーシーズ
損害	damage ダメージ		代名詞	pronoun プロナウン
尊敬/尊敬する	respect リスペクト		タイトル	title タイトル
損をする	lose ルーズ		タイヤ	tire タイアー
			ダイヤモンド	diamond ダイアモンド

た

大学	college/university カレッジ/ユニヴァーシティ		太陽	sun サン
大学生	college student カレッジ・ステューデント		大理石	marble マーブル
			代理	represent リプリゼント ＜彼の代理で＞ represent him リプリゼント・ヒム
代議士	Diet member ダイエット・メンバー			
大工	carpenter カーペンター		(代理店)	agency エイジェンシー
退屈な	boring ボーリング		耐える	stand スタンド
体験	experience エクスペリエンス		タオル	towel タウォル

高い（高さが） high ハイ
高い（価格が） expensive イクスペンシヴ
だから〜（それゆえに） therefore ゼアフォー
宝くじ lottery ticket ロタリー・ティケット
滝 waterfall ウォーターフォール
炊く cook クック
 ＜ご飯を炊く＞ cook rice クック・ライス
抱く（抱き合う） hug ハグ
たくさん a lot ア・ロット
タクシー taxi タクシー
竹 bamboo バンブー
〜だけ only オンリー
確かに be sure to ビ・シュア・トゥ
足す add アド
助け合う help each other ヘルプ・イーチ・アザー
助ける help ヘルプ
訪ねる visit ヴィジット
尋ねる ask アスク
闘う fight ファイト
叩く hit ヒット
正しい correct コレクト
直ちに right away ライト・アウェイ
たたむ fold フォールド
 ＜服をたたむ＞ fold the clothes フォールド・ザ・クロウズ
立ち上がる stand up スタンド・アップ
立つ stand スタンド
断つ stop ストップ

建物 building ビルディング
建てる build ビルド
例えば for example フォー・イグザンプル
棚 shelf シェルフ
他人 other people アザー・ピープル
種 seed シード
他の other アザー
楽しい happy ハピー
頼む ask アスク
タバコ cigarette シガレット
 ＜タバコを吸う＞ smoke a cigarette スモウク・ア・シガレット
旅 trip トリップ
たびたび often オッフン
ダブルベッド double bed ダブル・ベッド
多分 probably プラバブリィ
食べ物 food フード
食べる eat イート
卵 egg エッグ
玉子焼き fried egg フライド・エッグ
だます deceive ディシーブ
玉ねぎ onion オニオン
駄目だ no good ノウ・グッド
保つ keep キープ
 ＜温度を保つ＞ keep the temperature キープ・ザ・テンプレチャー
足りない not enough ノット・イナフ
 ＜お釣りが足りなかった＞ gave me the wrong change ゲイヴ・ミー・ザ・ロング・チェンジ
誰 who フー
短気な short-tempered ショート・テンパード
単語 word ワード

誕生日	birthday バースデイ
ダンス／ダンスをする	
	dance ダンス
男性	man マン
旦那	husband ハズバンド
タンパク質	
	protein プロティン
暖房	heater ヒーター

ち

血	blood ブラッド
小さい	small スモール
チーズ	cheese チーズ
近い	near ニア
近いうちに	
	in the near future イン・ザ・ニア・フューチャー
違う	different ディファレント
近頃	lately レイトリィ
地下鉄	subway サブウェイ
近道	shortcut ショートカット
力	power パワー
地球	the earth ジ・アース
遅刻する	be late ビ・レイト
知識	knowledge ナレッジ
地図	map マップ
父	father ファーザ
縮む	shrink シュリンク
秩序	order オーダー
チップ	tip ティップ
地方	local region ローカル・リージョン
茶	tea ティー
茶色	brown ブラウン
茶碗	bowl ボウル
チャンネル	

	channel チャンネル
注意する	be careful ビ・ケアフル
中央	center センター
中学校	junior high school ジュニア・ハイ・スクール
中華料理	Chinese food チャイニーズ・フード
中国	China チャイナ
中国人	Chinese チャイニーズ
中国語	Chinese チャイニーズ
中止する	
	abandon アバンダン
駐車する	
	park パーク
駐車場	parking lot パーキング・ロット
注射／注射する	
	injection/give an injection インジェクション／ギヴ・アン・インジェクション
中旬	middle of the month ミドル・オヴ・ザ・マンス
昼食	lunch ランチ
中心	center センター
虫垂炎	appendicitis アペンダサイティス
注目／注目する	
	attention/pay attention アテンション／ペイ・アテンション
注文／注文する	
	order オーダー
蝶	butterfly バタフライ
腸	bowel バウル
長距離	long distance ロング・ディスタンス
彫刻	sculpture スカルプチャー

235

頂上	peak	ピーク
朝食	breakfast	ブレックファスト
ちょうどいい（ぴったり）	fit	フィット
直接	direct	ディレクト
直線	straight line	ストレィト・ライン
貯蓄	savings	セィヴィングズ
ちょっとの間	for a while	フォ・ア・ワイル
＜ちょっと待って！＞	Wait a moment!	ウェイト・ア・モウメント
地理	geography	ジオグラフィー
賃貸・借／賃貸・借する	rent	レント
賃金	wages	ウェイジズ

つ

ツアー	tour	トゥアー
ついに	finally	ファイナリー
通学する	go to school	ゴウ・トゥー・スクール
通勤する	go to work	ゴウ・トゥー・ワーク
通常	normally	ノーマリー
通信／通信する	communication/communicate	コミュニケィション／コミュニケイト
通信衛星	communications satellite	コミュニケィションズ・サテライト
通訳／通訳する	interpretation/interpret	インタープリティション／インタープリット
使う	use	ユーズ
捕まえる	catch	キャッチ
つかむ	grab	グラブ
疲れる	get tired	ゲット・タイアード
月	moon	ムーン
～については	in regard to ～	イン・リガード・トゥ
次	next	ネクスト
尽きる	run out	ラン・アウト
着く	reach	リーチ
机	desk	デスク
作る	make	メイク
漬物	pickle	ピックル
告げる	tell	テル
都合	convenience	コンヴィニエンス
＜都合が良い／悪い＞	convenient/inconvenient	コンヴィニエント／インコンヴィニエント
土	dirt	ダート
続く／続ける	continue	コンティニュー
包む	wrap	ラップ
努める	try	トライ
綱	rope	ロウプ
つなぐ	tie	タイ
つば（唾）	spit	スピット
つぶれる／つぶす	crush	クラッシュ
＜箱がつぶれる＞	the box is crushed	ザ・ボックス・イズ・クラッシュト
＜会社がつぶれる＞	the company goes bankrupt	ザ・カンパニー・ゴウズ・バンクラプト
つぼみ（蕾）	bud	バッド

妻	wife ワイフ
つまずく	trip over トリップ・オウヴァー
つまむ	pinch ピンチ
爪楊枝	toothpick トゥースピック
つまらない	boring ボーリング
詰まる	clog クロッグ
罪	guilt ギルト
爪	nail ネィル

　＜爪を切る＞ clip nails クリップ・ネィルズ

　（爪切り）nail-clipper ネィル・クリッパー

冷たい	cold コウルド
強い	strong ストロング
つらい	hard ハード
釣り銭	change チェンジ
連れて行く	take テイク

て

手	hand ハンド

　＜手を上げる＞ raise one's hand レイズ・ワンズ・ハンド

　＜手に持つ＞ hold ホールド

出会う	meet ミート
～である	am/is/are アム／イズ／アー
提案／提案する	suggestion/suggest サジェスチョン／サジェスト
データ	data デイタ
デート	date デイト
テーブル	table テイブル
Tシャツ	T-shirt ティーシャート
テープレコーダ	tape recorder テイプ・レコーダー
定期券	train pass トレイン・パス
抵抗／抵抗する	resistance/resist リジスタンス／リジスト
定食	set meal セット・ミール
停車／停車する	stop ストップ
提出する	submit サブミット
程度	degree ディグリー
丁寧な	polite ポライト
手紙	letter レター

　＜手紙を出す＞ send a letter センド・ア・レター

敵	enemy エネミー
適当な	suitable スユータブル
～できる	can キャン

　＜サッカーができる＞ can play soccer キャン・プレイ・サッカー

出口	exit エグジット
デザート	dessert ディザート
デザイン／デザインする	design デザイン
手数料	charge チャージ
鉄	iron アイアン
手付金	up-front money アップ・フラント・マネー
手伝う	help ヘルプ
鉄道	railway レイルウェイ
出て行く	leave リーヴ
テニス	tennis テニス
デパート	department store ディパートメント・ストア
手放す	let go of レット・ゴウ・アヴ
出迎えに行く	

	meet and welcome someone ミート・アンド・ウェルカム・サムワン
デモ	demonstration デモンストレィション
でも	but バット
寺	temple テンプル
テレビ	television テレヴィジョン
出る	get out ゲット・アウト
点	point ポイント
（100点）	one hundred points ワン・ハンドレッド・ポインツ
（その点）	on that point オン・ザット・ポイント
店員	salesclerk セイルズクラーク
天気	weather ウェザー
電気の	electric エレクトリック
（電気洗濯機）	washing machine ウォッシング・マシーン
（電気代）	electric bill エレクトリク・ビル
伝記	biography バイオグラフィ
電球	light bulb ライト・バルブ
天国	heaven ヘヴン
伝言	message メッセージ
電子	electron エレクトロン
電車	train トレイン
店主	shopkeeper ショップキーパー
天井	ceiling シーリング
点数	point ポイント
電子レンジ	microwave oven マイクロウェイヴ・アヴン
伝染病	infectious disease インフェクシャス・ディジーズ
電池	battery バテリー
伝統	tradition トラディション
天皇陛下	His Majesty the Emperor ヒズ・マジェスティ・ジ・エンペラー
伝票	slip スリップ
でんぷん	starch スターチ
電報	telegram テレグラム
電話	telephone テレフォン
＜電話をする＞	call コール
＜電話を切る＞	hang up the telephone ハング・アップ・ザ・テレフォン
電話番号	telephone number テレフォン・ナンバー

と

～と	～ and アンド
戸（ドア）	door ドア
度	degree ディグリー
（20度）	twenty degrees トウェンティ・ディグリーズ
＜一度に＞	at once アト・ワンス
ドア	door ドア
問い合わせる	inquire インクワイアー
ドイツ	Germany ジャーマニー
ドイツ語	German ジャーマン
ドイツ人	German ジャーマン
トイレ	bathroom バスルーム
党	party パーティ
どうしたの	What's the matter? ワッツ・ザ・マター
どうですか	

	How about you? ハウ・アバウト・ユー		動物園	zoo ズー
どういたしまして			とうもろこし	
	You're welcome. ユア・ウェルカム			corn コーン
			同様の	same セイム
どうして	Why? ワイ		遠い	far ファー
同意する	agree アグリー		通す	lead リード
同一の	same セイム		トースト	toast トウスト
唐辛子	chili pepper チリ・ペッパー		盗難	theft セフト
登記／登録する			通り	street ストリート
	register レジスター		通り過ぎる	
動悸	palpitation パルピテーション			go past ゴウ・パスト
道具	tool トゥール		とかげ	lizard リザード
統計	statistics スタティスティクス		溶かす／溶ける	
同行する	go together ゴウ・トゥゲザー			melt メルト
投資／投資する			尖った	sharp シャープ
	investment/invest インヴェストメント／インヴェスト		時	time タイム
			時々	sometimes サムタイムズ
同時に	at the same time アト・ザ・セイム・タイム		毒	poison ポイズン
			独身	single シングル
同情する	have sympathy ハヴ・シンパシー		特に	especially エスペシャリー
			特別な	special スペシャル
当然	naturally ナチュラリー		とげ	prickle プリクル
どうぞ	please プリーズ		時計	clock クロック
＜どうぞよろしく＞			どこ	where ウェア
	Nice to meet you. ナイス・トゥ・ミート・ユー		床屋	barbershop バーバーショップ
			所	place プレイス
到着／到着する			都市	city シティ
	arrival/arrive アライヴァル／アライヴ		年	year イアー
			年とった	old オールド
東南アジア	Southeast Asia サウスイースト・エイジア		図書館	library ライブラリー
			閉じる	close クローズ
東北部	northeast area ノースイースト・エアリア		土地	land ランド
			途中	halfway ハーフウェイ
豆腐	soybean curd ソイビーン・カード		どちら	which ウィッチ
動物	animal アニマル		＜どちらでも＞	whichever ウィッチエヴァー

特価	reduced price リデュースト・プライス
どっち	which ウィッチ
届ける	deliver ディリヴァー
どなた	who フー
どのくらい	
	how much ハウ・マッチ
	how many ハウ・メニー
どのように	
	how ハウ
飛ぶ	fly フライ
トマト	tomato トメイト
泊まる	spend the night スペンド・ザ・ナイト
止まる／止める	
	stop ストップ
ともかく	anyway エニウェイ
友達	friend フレンド
共に	together トゥゲザー
土曜日	Saturday サタデイ
トラ	tiger タイガー
ドライクリーニング	
	dry cleaning ドライ・クリーニング
ドライバー（運転手）	
	driver ドライヴァー
（ネジ回し）	screw driver スクリュー・ドライヴァー
ドライブ	drive ドライヴ
トラブル	trouble トラブル
＜トラブルに会う＞	get into trouble ゲト・イントゥ・トラブル
トラベラーズチェック	traveler's check トラヴェラーズ・チェック
トランプ	cards カーズ
鳥	bird バード
鶏肉	chicken チキン
取り消す	cancel キャンセル
取締まる	control コントロール
努力する	make an effort メイク・アン・エフォート
取る	take テイク
＜ボールを取る＞	catch a ball キャッチ・ア・ボール
撮る	shoot シュート
＜写真を撮る＞	take a picture テイク・ア・ピクチャー
ドル	dollar ダラー
ドレッシング	
	dressing ドレッシング
どれ	which ウィッチ
泥棒	thief シーフ
どんな	what ～ like? ワット～ライク
トンネル	tunnel タネル
どんぶり	bowl ボウル
とんぼ	dragonfly ドラゴンフライ

な

無い	There's nothing. ゼアズ・ナッシング
内科	internal department インターナル・ディパートメント
内線	extension エクステンション
内閣	cabinet キャビネット
ナイフ	knife ナイフ
内部	inside インサイド
内容	content コンテント
ナイロン	nylon ナイロン

直す	fix フィックス			サニタリー・ナプキン
治す	cure キュア		鍋	pot ポット
<歯を治す> treat a cavity			**名前**	name ネイム
	トリート・ア・キャヴィティ		怠け者	lazy fellow レイジー・フェロー
長い	long ロング		怠ける	be lazy ビ・レイジー
長靴	boots ブーツ		生の	fresh フレッシュ
長袖	long sleeve ロング・スリーヴ		波	wave ウェイヴ
仲間	company カンパニー		並木道	tree-lined road
眺める	look at ルック・アト			トゥリー・ラインド・ロード
流れる	flow フロウ		涙	tear ティアー
鳴く			なめる（舐める）	
犬が鳴く	bark バーク			lick リック
ネコが鳴く	mew ミュー		悩む	be troubled ビ・トラブルド
牛が鳴く	moo ムー		**習う**	learn ラーン
小鳥が鳴く	sing シング		並べる	lay out レイ・アウト
泣く	cry クライ		縄	rope ロウプ
なくす	lose ルーズ		なる	become ビカム
<財布をなくす> lose one's wallet			ナンバー	number ナンバー
	ルーズ・ワンズ・ウォレット		南部	southern part サザーン・パート
なくなる	be gone ビ・ゴーン			
なぜ	why ワイ			

に

なぜなら	because ビコーズ		二	two トゥー
夏	summer サマー		似合う	look good ルック・グッド
夏休み	summer vacation		匂う	smell スメル
	サマー・ヴァケイション		苦い	bitter ビター
なつかしい			二月	February フェブラリー
	nostalgic ノスタルジック		握る	clasp クラスプ
～など	and so on アンド・ソウ・オン		<手を握る> clasp one's hand	
七	seven セヴン			クラスプ・ワンズ・ハンド
何	what ワット		肉	meat ミート
<これは何ですか> What's this?			憎む	hate ヘイト
	ワッツ・ディス		憎らしい	hateful ヘイトフル
<何時ですか> What time is it?			逃げる	run away ラン・アウェイ
	ワット・タイム・イズ・イット		煮込む	boil for a long time
ナフキン	napkin ナプキン			ボイル・フォー・ア・ロング
ナプキン	sanitary napkin			タイム

西	west ウェスト
偽物/偽の	fake フェイク
日時	time and date タイム・アンド・デイト
日常の	daily デイリー
～について	about~ アバウト
日中	day time デイタイム
日曜日	Sunday サンデイ
日記	diary ダイアリー

似ている look like ルック・ライク
　＜彼は母親に似ている＞
　　　　He looks like his mother.
　　　　ヒー・ルックス・ライク・ヒズ・マザー

日本	Japan ジャパン
日本語	Japanese ジャパニーズ
日本人	Japanese ジャパニーズ
日本料理	Japanese food ジャパニーズ・フード
荷物	baggage バゲッジ
入院	hospitalization ホスピタリゼイション
入会する	become a member ビカム・ア・メンバー
入学する	enter a school エンター・ア・スクール
入国管理局	immigration authorities イミグレイション・オーソリティーズ
入場料	entrance fee エントランス・フィー
ニュース	news ニューズ
尿	urine ユーリン

煮る	boil ボイル
庭	yard ヤード
鶏（にわとり）	chicken チキン
人形	doll ドール
人間	human ヒューマン
妊娠	pregnant プレグナント
人参	carrot キャロット
にんにく	garlic ガーリック

ぬ

縫う	sew ソウ
ヌード	nudity ヌーディティ
脱ぐ	take off テイク・オフ
盗む	steal スティール
布	cloth クロス
沼	swamp スワンプ
塗る	

　＜薬を塗る＞ put some medicine
　　　　プット・サム・メディスン

ぬるい	lukewarm ルークウォーム
濡れる	wet ウェット

　＜雨に濡れる＞ get wet in the rain
　　　　ゲット・ウェット・イン・ザ・レイン

ね

根	root ルート
値	price プライス
値上げする	raise the price レイズ・ザ・プライス
願う	

（～さんをお願いします＜会う＞）
　　　　I'd like to see Mr./Ms. ～.
　　　　アイド・ライク・トゥ・シー・

	ミスター／ミズ〜		年金	pension ペンション
（内線5をお願いします）			捻挫	sprain スプレイン
	Extension five, please.		年始	beginning of the year
	エクステンション・ファイブ・			ビギニング・オヴ・ザ・イアー
	プリーズ		年末	the end of the year
葱	green onion グリーン・オニオン			ジ・エンド・オヴ・ザ・イアー
値切る	ask for a discount		年令	age エイジ
	アスク・フォー・ア・ディスカウント			

の

ネクタイ	tie タイ		ノイローゼ	
ネグリジェ				nervous breakdown
	nightgown ナイト・ガウン			ナーヴァス・ブレイクダウン
ネコ	cat キャット		脳	brain ブレイン
値下げする			脳出血	cerebral hemorrhage
	reduce the price			セリーブラル・ヘマリッジ
	リデュース・ザ・プライス		脳梗塞	cerebral infarction
ネズミ	mouse マウス			セリーブラル・インファークション
ねたむ				
＜私は彼女をねたんだ＞			ノート	notebook ノウトブック
	I was jealous of her.		農民	farmer ファーマー
	アイ・ワズ・ジェラス・オヴ・ハー		農業	agriculture アグリカルチャー
値段	price プライス		農家	farming family
熱	fever フィーヴァー			ファーミング・ファミリー
ネックレス			納税する	pay taxes ペイ・タクシズ
	necklace ネックレス		能率	efficiency エフィシャンシー
ネットワーク			能力	ability アビリティ
	network ネットワーク		除く	remove リムーヴ
値引きする			後ほど	later レイター
	give a discount		喉	throat スロウト
	ギヴ・ア・ディスカウント		＜喉が痛い＞ I have a sore throat.	
寝坊する				アイ・ハヴ・ア・ソア・スロウト
	oversleep オウヴァースリープ		＜喉が乾く＞ I'm thirsty.	
眠い	sleepy スリーピー			アイム・サースティ
眠る	sleep スリープ		伸ばす	
寝る	go to bed ゴウ・トゥ・ベッド		＜写真を伸ばす＞ enlarge a photo	
年	year イアー			エンラージ・ア・フォト

243

延ばす postpone ポストポウン
野原 field フィールド
登る
　＜山に登る＞ climb a mountain
　　　　　クライム・ア・マウンテン
昇る
　＜日が昇る＞ the sun rises
　　　　　ザ・サン・ライジズ
〜のみ only〜 オンリー
飲み水 drinking water
　　　　　ドリンキング・ウォーター
飲物 beverage ベバレッジ
飲む drink ドリンク
のり（海苔）
　　　　　seeweed スィーウィード
糊 glue グルー
乗り換える
　　　　　transfer トランスファー
乗り物 transportation
　　　　　トランスポーティション
乗り継ぐ transfer トランスファー
乗る
　＜車に乗る＞ ride in a car
　　　　　ライド・イン・ア・カー
のんびり carefree ケアフリー

は

葉 leaf リーフ
歯 tooth トゥース
　＜歯が痛い＞ I have a toothache.
　　　　　アイ・ハヴ・ア・トゥーセイク
歯ブラシ tooth brush
　　　　　トゥース・ブラッシュ
パーセント
　　　　　percent パーセント
パーティー
　　　　　party パーティ
パーマ／パーマをかける
　　　　　perm/get a perm
　　　　　パーム／ゲット・ア・パーム
肺 lung ラング
灰 ash アッシュ
〜倍 〜 times タイムズ
　＜2倍，3倍＞ double, triple
　　　　　ダブル、トリプル
灰色 gray グレイ
ハイウェー
　　　　　highway ハイウェイ
排気ガス exhaust gas
　　　　　イグゾースト・ギャス
ハイキング
　　　　　hiking ハイキング
配偶者 spouse スパウス
灰皿 ash tray アッシュ・トレイ
歯医者 dentist デンティスト
配達／配達する
　　　　　delivery/deliver
　　　　　ディリヴァリー／ディリヴァー
パイナップル
　　　　　pineapple パイナプル
パイプ pipe パイプ
俳優 actor アクター
入る enter エンター
ハエ（蝿）fly フライ
馬鹿 fool フール
　＜馬鹿にする＞
　　　　　make fun of someone
　　　　　メイク・ファン・オヴ・サムワン
葉書 post card ポスト・カード
ばかり
　＜今帰ったばかり＞
　　　　　have just arrived home

　　　　　ハヴ・ジャスト・アライヴド・
　　　　　ホーム
計る
　＜寸法を計る＞ take the measure of
　　　　　テイク・ザ・メジャー・アブ
はく
　＜靴下をはく＞ put on the socks
　　　　　プット・オン・ザ・ソックス
吐く　　vomit ヴァマト
　＜食べたものを吐いた＞
　　　　　I threw up what I had eaten.
　　　　　アイ・スルー・アップ・ワット・
　　　　　アイ・ハド・イートン
掃く　　sweep スウィープ
　＜落葉を掃いた＞
　　　　　I swept up the dead leaves.
　　　　　アイ・スウェプト・アップ・ザ・
　　　　　デッド・リーヴズ
白菜　　Chinese cabbage
　　　　　チャイニーズ・キャベッジ
爆発／爆発する
　　　　　explosion/explode エクスプロ
　　　　　ウジョン／エクスプロウド
博物館　museum ミュージアム
禿げた　bold ボールド
励ます　encourage エンカレッジ
バケツ　bucket バケット
箱　　box ボックス
運ぶ　carry キャリー
ハサミ　scissors シザーズ
はさむ
　＜手をはさんだ＞
　　　　　catch one's hand in the door
　　　　　キャッチ・ワンズ・ハンド・
　　　　　イン・ザ・ドア
端　　　edge エッジ

橋　　　bridge ブリッジ
箸　　　chopsticks
　　　　　チョップスティックス
ハシカ　measles ミーズルズ
始まる／始める
　　　　　start スタート
　＜会議が始まる＞ meeting starts
　　　　　ミーティング・スターツ
初めて　first time ファースト・タイム
はじめまして
　　　　　How do you do?
　　　　　ハウ・ドゥ・ユー・ドゥ
場所　　place プレイス
柱　　　column コラム
走る　　run ラン
蓮　　　lotus ロウタス
バス　　bus バス
恥ずかしい
　　　　　be embarrassed
　　　　　ビ・インベラスト
バスタオル
　　　　　bath towel バス・タウォル
バス停　bus stop バス・ストップ
パスポート
　　　　　passport パスポート
パソコン personal computer
　　　　　パーソナル・コンピューター
パスワード
　　　　　password パスワード
旗　　　flag フラッグ
バター　butter バター
畑　　　field フィールド
働く　work ワーク
発音／発音する
　　　　　pronunciation/pronounce
　　　　　プロナンシエイション

	/プロナウンス		歯磨き粉	toothpaste トゥース・ペイスト
ハチ	bee ビー		ハム	ham ハム
八	eight エイト		速い	fast ファスト
はっきり	clearly クリアリー		早い	early アーリー
発見／発見する			林	wood ウッド
	discovery/discover		腹	belly ベリー
	ディスカヴァリー		払う	
	／ディスカヴァー		＜お金を払う＞ pay money	
発展／発展する				ペイ・マネー
	development/develop		＜ゴミを払う＞ dust ダスト	
	ディヴェロップメント		針	needle ニードル
	／ディヴェロップ		馬力	horsepower ホースパワー
発表／発表する			貼りつける	
	announcement/announce			stick スティック
	アナウンスメント／アナウンス		春	spring スプリング
派手な	flashy フラッシー		腫れる	swell スウェル
鼻	nose ノウズ		パン	bread ブレッド
＜鼻血が出る＞			繁栄する	prosper プロスパー
	My nose is bleeding.		ハンカチ	handkerchief ハンカチーフ
	マイ・ノウズ・イズ・ブリーディング		パンク	flat tire フラット・タイア
花	flower フラワー		番組	program プログラム
話／話す			判決	verdict ヴァーディクト
	talk トーク		番号	number ナンバー
＜話し合いがつく＞			犯罪	crime クライム
	reach an agreement		晩ご飯	dinner ディナー
	リーチ・アン・アグリーメント		万歳	hail ヘイル
＜話し中（電話）＞ the line is busy			ハンサムな	
	ザ・ライン・イズ・ビジー			handsome ハンサム
＜日本語を話す＞ speak Japanese			半ズボン	shorts ショーツ
	スピーク・ジャパニーズ		半袖	short sleeve ショート・スリーヴ
バナナ	banana バナナ		反対／反対する	
離れる	depart ディパート			opposition/oppose アポジシャン／アポウズ
母	mother マザー			
幅	width ウィッズ		反対側	opposite オポジット
省く（省略する）			パンツ	pants パンツ
	abbreviate アブリヴィエイト		バンド	band バンド

ハンバーガー
  hamburger ハンバーガー
ハンドバッグ
  handbag ハンドバッグ
販売／販売する
  sales/sell セイルズ／セル
パンフレット
  pamphlet パンフレット
半分 half ハーフ
判を押す seal シール

ひ

火 fire ファイアー
ピーナッツ
  peanuts ピーナッツ
ピーマン green pepper グリーン・ペパー
ビール beer ビア
比較／比較する
  comparison/compare
  コンパリスン／コンペア
 ＜AとBを比較する＞
  compare A to B
  コンペアAトゥB
東 east イースト
光／光る light/shine ライト／シャイン
引き出し drawer ドロワー
引き伸ばす
 ＜写真を引き伸ばす＞
  enlarge a photo
  エンラージ・ア・フォト
引く
 ＜カーテンを引く＞ draw a curtain
  ドロー・ア・カーテン
弾く
 ＜ピアノを弾く＞ play the piano
  プレイ・ザ・ピアノ

低い（背が）
  short ショート
ひげ mustache/beard
  マスタッシュ／ビアード
 ＜ひげを剃る＞ shave シェイヴ
飛行機 airplane エアプレイン
飛行場 airport エアポート
ビザ visa ヴィザ
ピザ pizza ピッツァ
膝 knee ニー
久しぶり Long time no see.
  ロング・タイム・ノウ・シー
肘 elbow エルボウ
ビジネス business ビズネス
ビジネスマン
  businessman ビズネスマン
美術 art アート
秘書 secretary セクレタリー
微笑／微笑する
  smile スマイル
非常に very ヴェリー
美人 pretty woman
  プリティ・ウーマン
左 left レフト
びっくりする
  be surprised ビ・サプライズド
日付 date デイト
引っ越す move ムーヴ
羊 sheep シープ
ひっつく stick スティック
必要な necessary ネセサリー
否定する deny ディナイ
ビデオ video ヴィデオ
人 person パーソン
等しい same セイム
一つ one ワン

一人			広い	spacious スペイシャス
＜一人で行く＞	go alone		拾う	pick up ピック・アップ
	ゴウ・アロン		広げる	spread スプレッド
ひねる			広さ	width ウィッズ
＜手をひねって痛い＞			広場	square スクウェア
	I have a sprained wrist and it hurts.		瓶（びん）	bottle ボトル
			品質	quality クウォリティ
	アイ・ハヴ・ア・スプレインド・リスト・アンド・イト・ハーツ		便箋	letter paper レター・ペイパー
			貧乏人	poor person プア・パーソン
非難／非難する				

ふ

	blame ブレイム		ファックス	
避妊／避妊する				fax ファクス
	protection/protect		部	department ディパートメント
	プロテクション／プロテクト		（技術部）	Engineering Department
皮膚	skin スキン			エンジニアリング・ディパートメント
暇	free time フリー・タイム			
秘密	secret シークレット			
ひも（紐）			フィルム	film フィルム
	rope ロウプ		風景	scenery シーナリー
百	hundred ハンドレッド		封筒	envelope エンヴェロウプ
百万	million ミリオン		夫婦	couple カプル
表	chart チャート		プール	pool プール
秒	second セカンド		増える	increase インクリース
病院	hospital ホスピタル		フォーク	fork フォーク
美容院	hair salon ヘア・サロン		深い	deep ディープ
病気	sickness シックネス		福利厚生	fringe benefit
病人	patient ペイシャント			フリンジ・ベネフィット
評判	reputation レピュテイション		布巾	dish towel ディッシュ・タウォル
表面	surface サーフィス		拭く	wipe ワイプ
ひりひり痛む			吹く	blow ブロウ
	tingle ティングル		服	clothes クロウズ
開く	open オウプン		＜服を着る＞	put on clothes
昼	daytime デイタイム			プット・オン・クロウズ
昼ご飯	lunch ランチ		＜服を仕立てる＞	
昼休み	lunch break ランチ・ブレイク			have one's clothes made
ビル	building ビルディング			ハヴ・ワンズ・クロウズ・メイド

複雑な	complicated	コンプリケイティッド
福祉	welfare	ウェルフェア
復習／復習する	review	リヴュー
袋	bag	バッグ
不幸	unhappiness	アンハピネス
不十分な	insufficient	インサフィシャント
婦人	woman	ウーマン
不正な	corrupt	コラプト
防ぐ	prevent	プリヴェント
ふた	lid	リッド
豚	pig	ピッグ
豚肉	pork	ポーク
部長	general manager	ジェネラル・マネージャー
二つ	two	トゥー
ふち（帽子などの）	brim	ブリム
ぶつ（殴る）	hit	ヒット
普通の	normal	ノーマル
二日酔い	hangover	ハングオーバー
ぶつかる		
＜車にぶつかる＞	bump into a car	バンプ・イントゥ・ア・カー
仏教	Buddhism	ブディズム
仏像	the statue of Buddha	ザ・スタチュー・オヴ・ブッダ
ぶどう	grape	グレイプ
ぶどう酒	wine	ワイン
太い	thick	シック
太った	fat	ファット
太る	gain weight	ゲイン・ウェイト
布団	futon	フトン
船	ship	シップ
部品	part	パート
部分	part	パート
不平／不平を言う	complaint/complain	カンプレイント／カンプレイン
増やす	increase	インクリース
不便な	inconvenient	インコンヴィニエント
踏む	step on	ステップ・オン
冬	winter	ウィンター
フライ	fry	フライ
フライト	flight	フライト
フライパン	frying pan	フライング・パン
ブラシ	brush	ブラッシュ
プラスチック	plastic	プラスティック
フランス	France	フランス
フランス人	French	フレンチ
フランス語	French	フレンチ
ブランド	brand	ブランド
新しい	brandnew	ブランニュ
降る		
＜雨が降る＞	rain	レイン
古い	old	オウルド
ふるえる	shake	シェイク
ブレーキ	brake	ブレイク
ブレスレット	bracelet	ブレイスレット
プレゼント	present	プレゼント
触れる	touch	タッチ
風呂	bath	バス
＜風呂に入る＞	take a bath	テイク・ア・バス
プログラム		

	program プログラム
フロント	front desk フラント・デスク
ブローチ	brooch ブロウチ
文化	culture カルチャー
文学	literature リタラチャー
文	sentence センテンス
文法	grammar グラマー
文房具	stationery ステイショナリー

へ

平均／平均する
  average アヴェレッジ
平方メートル
  square meter スクウェアー・ミーター
ベーコン bacon ベイコン
ページ　page ペイジ
閉店する close a store
  クロウズ・ア・ストアー
平和　peace ピース
下手な　bad バッド
ベッド　bed ベッド
別に／別の
  other アザー
蛇　　snake スネイク
部屋　room ルーム
ベランダ veranda ヴェランダ
へり　edge エッジ
ベル　bell ベル
ベルト　belt ベルト
ペン　pen ペン
変化／変化する
  change チェンジ
返却／返却する
  return リターン
勉強／**勉強する**
  study スタディ
変更／変更する
  change チェンジ
ペンキ／ペンキを塗る
  paint ペイント
弁護士　lawyer ローヤー
返事　reply リプライ
便所　bathroom バスルーム
弁当　boxed lunch
  ボックスト・ランチ
変な　strange ストレンジ
弁解する excuse oneself
  イクスキューズ・ワンセルフ
便秘する
  be constipated
  ビ・コンスティペイティッド
便利な　convenient コンヴィニエント

ほ

ボーイ　bellboy ベルボーイ
ボーイフレンド
  boyfriend ボーイフレンド
貿易　trade トレイド
方角／方向
  direction ディレクション
ほうき　broom ブルーム
方言　dialect ダイアレクト
報告　report リポート
帽子　hat ハット
宝石　jewelry ジュウェルリー
放送　broadcast ブロードキャスト
包丁　knife ナイフ
ボート　boat ボウト
方法　way ウェイ
訪問／**訪問する**
  visit ヴィジット

法律	law ロー			ペデストリアン・オウヴァーパス
ボーナス	bonus ボウナス		骨	bone ボウン
ボール（球／台所用）			微笑む	smile スマイル
	ball/bowl ボール／ボウル		誉める	praise プレイズ

ボールペン
　　　　ballpoint pen
　　　　ボールポイント・ペン
他の　　other アザー
補給／補給する
　　　　refill リフィル
ボクシング
　　　　boxing ボクシング
北部　　northern part ノーザン・パート
ポケット pocket ポケット
保険　　insurance インシュアレンス
ほこり　dust ダスト
星　　star スター
ほしい　want ウォント
　＜これがほしい＞ I want this one.
　　　　アイ・ウォント・ディス・ワン
募集／募集する
　　　　recruit リクルート
保証金　deposit ディポジット
保証／保証する
　　　　guarantee ギャランティー
干す
　＜洗濯物を干す＞
　　　　dry the laundry in the sun
　　　　ドライ・ザ・ランドリー・イン・ザ・サン
ポスト　mailbox メイルボックス
細い　thin シン
ボタン　button バトン
ホテル　hotel ホテル
ほとんど almost オールモスト
歩道橋　pedestrian overpass
　　　　ペデストリアン・オウヴァーパス
骨　　　bone ボウン
微笑む　smile スマイル
誉める　praise プレイズ
ボランティア
　　　　volunteer ヴォランティア
掘る　　dig ディッグ
本　　book ブック
本当の　real リァル
本当に　really リーリィ
本物　　genuine ジェニュイン
本屋　bookstore ブックストアー
翻訳する
　　　　translate トランスレイト

ま

マーガリン
　　　　margarine マージェリン
マーク
　＜犯人をマークする＞
　　　　mark as a suspect
　　　　マーク・アズ・ア・サスペクト
マーケット
　　　　market マーケット
まあまあです
　　　　so-so ソウ・ソウ
枚　　　～ sheet(s) of
　　　　シート（ツ）・アブ
毎（朝／日／月／年）
　　　　every(morning/day/month/year)
　　　　エヴリィ（モーニング／デイ／マンス／イアー）
マイクロバス
　　　　microbus マイクロバス
前　　　front フラント

251

前金	deposit ディポジット		まったく〜ない	
前もって	in advance イン・アドヴァンス			not 〜 at all ノット・アト・オール
前払いする			マッチ	match マッチ
	pay in advance ペイ・イン・アドヴァンス		祭	festival フェスティヴァル
曲がった	bent ベント		〜まで	until〜 アンティル
曲がる	bend ベンド		〜までに	by〜 バイ
巻く	wrap ラップ		＜7時までに＞ by seven バイ・セヴン	
枕	pillow ピロウ		窓	window ウィンドウ
枕カバー	pillowcase ピロウケイス		窓口	information desk インフォメイション・デスク
負ける	lose ルーズ			
＜試合に負ける＞ lose the game ルーズ・ザ・ゲイム			まとめる	put together プット・トゲザー
			まな板	cutting board カッティング・ボード
曲げる	bend ベンド			
孫	grandchild グランチャイルド		**学ぶ**	learn ラーン
			間に合う	be in time ビ・イン・タイム
混ざる	mix ミックス			
まずい	taste bad テイスト・バッド		マニュアル	
貧しい	poor プア			manual マニュアル
混ぜる			マネージャー	
＜お湯に砂糖を混ぜる＞				manager マネージャー
	mix hot water and sugar ミックス・ホット・ウォーター・アンド・シュガー		真似る	imitate イミテイト
			魔法瓶	thermos サーモス
			豆	bean ビーン
また	again アゲイン		まもなく	soon スーン
まだ	yet イエット		守る	protect プロテクト
町・街	town タウン		真夜中	midnight ミッドナイト
間違い	mistake ミステイク		丸	circle サークル
間違う／間違える			丸い	round ラウンド
	make a mistake メイク・ア・ミステイク		まるで	just like ジャスト・ライク
			まれに	hardly ever ハードリィ・エヴァー
待つ	wait ウェイト			
マッサージ			周り	around アラウンド
	massage マサージ		回る	rotate ロウテイト
まっすぐ	straight ストレイト		万	ten thousand テン・サウザンド

3万円	thirty thousand yen	サーティ・サウザンド・イェン
漫画	comics	コミックス
まんじゅう	steamed bun	スティームド・バン
マンション	condominium	コンドミニアム
満足する	be satisfied	ビ・サティスファイド
真ん中	center	センター
万年筆	fountain pen	ファウンティン・ペン

み

見える	be seen	ビ・シーン
見送る		
＜見送りに行く＞	go to see someone off	ゴウ・トゥ・シー・サムワン・オフ
磨く	polish	ポリッシュ
みかん	mandarin orange	マンダリン・オレンジ
右	right	ライト
右の	on the right	オン・ザ・ライト
短い	short	ショート
ミス	(Miss)	ミス
水	water	ウォーター
水色	light blue	ライト・ブルー
湖	lake	レイク
水着	swimsuit	スウィムスート
水虫	athlete's foot	アスリーツ・フット
(〜の) 水割	〜 and water	アンド・ウォーター
店	store	ストアー
ミセス	(Mrs.)	ミセズ
見せる	show	ショウ
＜見せて下さい＞	show me	ショウ・ミー
味噌	soybean paste	ソイビーン・ペイスト
道	road	ロウド
見つける	find	ファインド
見つめる	stare	ステア
見積もる	estimate	エスティメイト
見積書	estimate	エスティメイト
密輸入品	smuggled goods	スマグルド・グッズ
認める	admit	アドミット
緑 (色)	green	グリーン
港	port	ポート
南	south	サウス
みにくい	hard to see	ハード・トゥ・シー
ミネラルウォーター	mineral water	ミネラル・ウォーター
身分証明書 (ID)	identification card	アイデンティフィケイション・カード
見本	sample	サンプル
見舞う	visit someone in the hospital	ヴィジット・サムワン・イン・ザ・ホスピタル
耳	ear	イアー
都	metropolitan	メトロポリタン
土産物	souvenir	スーヴェニア
苗字	last/family name	ラスト／ファミリー・ネイム
未来	future	フューチャー
見る	look	ルック

253

ミルク	milk	ミルク
民衆	people	ピープル
民主主義	democracy	デモクラシー
民族	race	レイス

む

無	nothing	ナッシング
昔	long time ago	ロング・タイム・アゴウ
迎える	welcome	ウェルカム
むくみ	dropsy	ドラプシー
麦（小麦）	wheat	ウィート
虫	insect	インセクト
蒸し暑い	hot and humid	ホット・アンド・ヒューミッド
虫歯	cavity	キャヴィティ
蒸す	steam	スティーム
難しい	difficult	ディフィカルト
息子	son	サン
結ぶ	tie	タイ
娘	daughter	ドーター
無駄	waste	ウェイスト
夢中になる	be crazy for ~	ビ・クレイジー・フォー
胸	breast	ブレスト
紫（色）	purple	パープル
無理だ	impossible	インポッシブル
無料	free	フリー

め

目	eye	アイ
＜目が痛い＞	My eyes are sore.	マイ・アイズ・アー・ソア
姪	niece	ニース
名刺	business card	ビズネス・カード
名所	noted place	ノウティッド・プレイス
メートル	meter	ミーター
名物	noted product	ノウティッド・プロダクト
名簿	list	リスト
名誉	honor	オナー
＜名誉を傷つける＞	stain one's honor	ステイン・ワンズ・オナー
命令／命令する	order	オーダー
メーカー	maker	メイカー
メートル	meter	ミーター
眼鏡	glasses	グラッシーズ
目薬	eye drops	アイ・ドロップス
雌	female	フィーメイル
珍しい	rare	レア
目玉焼	fried egg	フライド・エッグ
メダル	medal	メダル
メニュー	menu	メニュー
メモ／メモする	memo/take notes	メモ／テイク・ノウツ
メール	e-mail	イーメイル
めまい	dizziness	ディジネス
綿	cotton	コットン
免許	license	ライセンス
メンス	menstruation	メンストゥレイション
免税	duty-free	デューティ・フリー
面積	area	エリア
面倒くさい	troublesome	トラブルサム

メンバー	member	メンバー

も

も	too	トゥー
<私も行く>	I'll go there, too.	アイル・ゴウ・ゼア・トゥー
もう	already	オーレディ
<もうすでに終った>	It's already finished.	イッツ・オーレディ・フィニッシュト
<もう一度>	once again	ワンス・アゲン
儲ける	make a profit	メイク・ア・プロフィット
申し込む	apply for	アプライ・フォー
もうすぐ	soon	スーン
毛布	blanket	ブランケット
燃える	burn	バーン
モーター	motor	モウター
目的	purpose	パーパス
木曜日	Thursday	サーズデイ
もし〜	if	〜イフ
文字	letter	レター
もしもし	hello	ハロー
持ち上げる	lift	リフト
持ち主	owner	オウナー
もちろん	of course	オフ・コース
持つ	have/hold	ハヴ／ホールド
持ってくる	bring	ブリング
もっと	more	モア
元の	former	フォーマー
求める	ask for	アスク・フォー
戻る	return	リターン
物語	story	ストーリィ
木綿	cotton	コットン
桃色	pink	ピンク
もやし	bean sprout	ビーン・スプラウト
もらう	receive	リシーヴ
森	forest	フォレスト
漏れる	leak	リーク
門	gate	ゲイト
問題	problem	プロブレム
文部省	the Ministry of Education	ザ・ミニストリー・オヴ・エデュケイション

や

やあ！	Hi!	ハイ
やかましい	noisy	ノイジー
夜間	during the night	デュアリング・ザ・ナイト
やかん	kettle	ケトル
山羊	goat	ゴウト
焼き魚	grilled fish	グリルド・フィッシュ
野球	baseball	ベイス・ボール
焼く	bake	ベイク
約	about/around	アバウト／アラウンド
薬剤師	pharmacist	ファーマシスト
役所	government office	ガヴァメント・オフィス
役職	position	ポジション
訳す	translate	トランスレイト
約束／約束する	promise	プロミス
役に立つ	useful	ユースフル
役人	government official	ガヴァメント・オフィシャル

火傷／火傷する			郵便	
	burn バーン			郵便局 post office ポスト・オフィス
野菜	vegetable ヴェジタブル			郵便切手
易しい	easy イージー			postage stamp
優しい	kind カインド			ポスティジ・スタンプ
養う	support サポート		ゆうべ	last night ラスト・ナイト
安い	cheap チープ		**有名な**	famous フェイマス
休み	rest レスト		ユーモア	humor ヒューマー
	休み時間 break ブレイク		床	floor フロアー
休む	rest レスト		愉快な	funny ファニー
＜会社を休む＞			雪	snow スノウ
	be absent from work		～行き	bound for ～バウンド・フォー
	ビ・アブセント・フロム・ワーク		輸出	export エキスポート
痩せた	thin シン		ゆっくり	slowly スロウリィ
やせる	lose weight ルーズ・ウェイト		ゆで卵	boiled egg ボイルド・エッグ
家賃	rent レント		輸入	import インポート
薬局	drugstore ドラッグストア		指	finger フィンガー
やっと	finally ファイナリー		指輪	ring リング
雇い主	employer エンプロイアー		夢	dream ドリーム
屋根	roof ルーフ		ゆるい	loose ルース
雇う	employ エンプロイ		許す	forgive フォーギヴ
家主	owner of a house			
	オウナー・オヴ・ア・ハウス		**よ**	
山	mountain マウンテン			
止める	stop ストップ		夜明け	dawn ドーン
辞める	resign リザイン		**良い**	good グッド
ややこしい	complicated		酔う	get drunk ゲット・ドランク
	コンプリケイティッド		用意する	
やり直す	do over ドゥ・オウヴァー			prepare プリペアー
柔らかい	soft ソフト		**容易な**	easy イージー
			要求する	ask for アスク・フォー
ゆ			用事	business ビズネス
			用心する	be careful ビ・ケアフル
湯	hot water ホット・ウォーター		幼稚園	kindergarten キンダガーテン
有益な	helpful ヘルプフル		**洋服**	clothes クロウズ
夕方	evening イヴニング		ようやく	finally ファイナリー
夕食	dinner ディナー		ヨーロッパ	

	Europe ヨーロップ			next(month/week/year) ネクスト（マンス／ウィーク／イアー）
余暇	leisure リージャー		ライター	lighter ライター
預金／預金する deposit ディポジット			落第／落第する failure/fail フェイリア／フェイル	
よく（しばしば） often オッフン			楽な	easy イージー
翌日	next day ネクスト・デイ		落雷	lightning strike ライトニング・ストライク
横	horizontal ホールザンタル		ラジオ	radio レイディオ
汚れる	get dirty ゲット・ダーティ		ラジカセ	radio cassette recorder レイディオ・カセット・レコーダー
～によって by ～バイ			ラッシュアワー rush hour ラッシュ・アワー	
酔っぱらい drunken man ドランクン・マン			ラブレター love letter ラヴ・レター	
予定／予定する plan プラン			ランチ	lunch ランチ

り

呼ぶ	call コール	
予防／予防する prevention/prevent プリヴェンシャン／プリヴェント		
読む	read リード	
嫁	bride ブライド	
予約／予約する reservation/reserve レザヴェイション／レザーヴ		
夜	night ナイト	
喜ぶ	be happy ビ・ハッピー	
よろしい	Good job. グッド・ジョブ	
よろしく	Nice to meet you. ナイス・トゥ・ミート・ユー	
弱い	weak ウィーク	
四	four フォー	

ら

ラーメン	Chinese noodle チャイニーズ・ヌードル	
来（月／週／年）		

利益	profit プロフィット
理解する	understand アンダースタンド
陸軍	army アーミー
利口な	intelligent インテリジェント
離婚する	divorce ディヴォース
リコンファーム reconfirm リコンファーム	
リサイクル recycle リサイクル	
利子	interest インタレスト
リストラ restructuring リストラクチャリング	
理想	ideal アイディール
率	rate レイト
陸橋	land bridge ランド・ブリッジ

リゾート	resort リゾート			エアー・コンディショナー
リットル	liter リター		留守	absence アブセンス
理髪店	barbershop バーバーショップ		ルビー	ruby ルビー
理由	reason リーズン			
留学	overseas education オウヴァーシーズ・エデュケイション			

れ

留学生	international student インターナショナル・ステューデント		例	example イグザンプル
			零	zero ゼロ
			礼儀正しい	
流行する	become fashionable ビカム・ファショナブル			polite ポライト
			冷静な	calm カーム
			冷蔵庫	refrigerator リフリジレイター
寮	dormitory ドーミトリィ		例文	example sentence イグザンプル・センテンス
両替する				
	exchange money イクスチェンジ・マネー		冷房	air conditioner エア・コンディショナー
			レインコート	
旅館	Japanese inn ジャパニーズ・イン			rain coat レイン・コウト
料金	charge チャージ		歴史	history ヒストリー
領事館	consulate コンスレイト		レストラン	
領収証	receipt リシート			restaurant レストラント
両親	parents ペアレンツ		レタス	lettuce レタス
料理	cooking クッキング		**列車**	train トレイン
旅行／旅行する			レモン	lemon レモン
	travel トラベル		レポート	report リポート
履歴	personal history パーソナル・ヒストリー		恋愛	love ラヴ
			練習／練習する	
履歴書	resume レズメ			practice プラクティス
理論	theory セオリー		レンタカー	
リンゴ	apple アプル			rent-a-car レンタカー
臨時の	temporary テンポラリー		連絡／連絡する	
				contact コンタクト

る

ルームクーラー
air conditioner

ろ

廊下	hallway ホールウェイ
老人	old person オールド・パーソン
ロータリー	

	rotary ロータリー		綿	cotton コットン
労働	labor レイバー		話題	topic トピック
労働者	laborer レイバラー		わたし	I アイ
労働組合			わたしたち	
	labor union レイバー・ユニオン			we ウィ
六	six シックス		渡る	cross クロス
録音／録音する			＜川を渡る＞ cross a river	
	record レコード／リコード			クロス・ア・リヴァー
録画／録画する			笑い／笑う	
	videotape ヴィデオテイプ			laugh ラフ
六月	June ジュン		割合	ratio レイショ
路線バス bus on a regular route			割る／割れる	
	バス・オン・ア・レギュラー・ルート			divide ディヴァイド
			＜6割る2は？＞	
ロビー	lobby ロビー			Six divided by two equals?
論じる	discuss ディスカス			シックス・ディヴァイディッド・バイ・トゥー・イークオルズ
論文	thesis シーシス			
			悪い	bad バッド

わ

			悪口	gossip ゴシップ
ワイシャツ			湾	bay ベイ
	white shirt ワイト・シャート		ワンピース	
賄賂	bribery ブライバリィ			dress ドレス
ワイン	wine ワイン			
若い	young ヤング			
沸かす	boil ボイル			
わがまま selfish セルフィッシュ				
分かる	get ゲット			
別れる	separate セパレイト			
分ける	divide ディヴァイド			
わざわざ intentionally				
	インテンショナリィ			
わずか	a little/a few ア・リトル／ア・フュー			
わずらわしい				
	annoying アノイング			
忘れる	forget フォゲット			

Language Research Assciates 編
● 菅谷とも子（英語教室主宰：http://www.tomoko-eikaiwa.com）
● Kay Husky（東京国際大学講師：英文校閲・吹込）
● Eric Kelso（ＮＨＫ文化センター英語講師：吹込）

スーパー・ビジュアル すぐに使える英会話

2002 年 11 月 10 日　初版発行
2018 年 8 月 31 日　　改訂版第 24 刷発行

著　者　：Language Research Associates 編 ©2002
発行者　：片岡　研
印刷所　：シナノ書籍印刷（株）
発行所　：株式会社ユニコム　UNICOM Inc.
　　　　　　Tel.(03)5496-7650 Fax.(03)5496-9680
　　　　　　〒153-0064 東京都目黒区下目黒 1-2-22-702
　　　　　　http://www.unicom-lra.co.jp

ISBN 978-4-89689-418-9

■本文・ＣＤ等の無断転載複製を禁じます。

『スーパー・ビジュアルすぐに使える』シリーズに待望のトラベル英会話編!

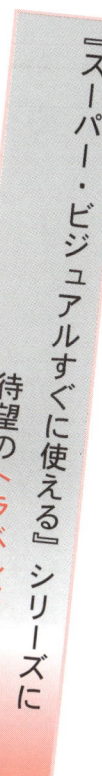

ISBN978-4-89689-456-1 C2082 1600E
定価 1,600円+税

すぐに使える トラベル英会話

スーパー・ビジュアル

Language Research Associates 編
Marcel Van Amelsvoort + 前田 道代:共著
吹込:Marcel Van Amelsvoort
Kay Husky 勝田 直樹

旅で通じる

CD付

UNICOM Inc.

旅で使える! こんな英会話の本が欲しかった♪

スーパー・ビジュアル シリーズ 最新作！
もっと答える　すぐに使える英会話

ISBN 978-4-89689-496-7 定価 1,600 円 + 税

　本書は『すぐに使える英会話』から一歩進んで、相手の言っていることに対して、自分の気持ちや行動を臨機応変に表現するため、英語の「受け方、答え方」を練習する事に重点をおいて作られています。

英語⇔日本語を図解で対比！
英語の構成を理解する『スーパー・ビジュアル法』

相手の言っていることに対して、思うように返答したい！そんな願いを叶える、コミュニケーションに役立つ一冊です！

図解で簡単、分かりやすい！

スーパー・ビジュアル
すぐに使える会話シリーズ

すぐに使える英会話	すぐに使える英会話2	すぐに使える中国語会話
978-4-89689-418-9 定価 1,600 円 + 税	978-4-89689-437-0 定価 1,600 円 + 税	978-4-89689-419-6 定価 1,800 円 + 税
すぐに使える上海語会話	すぐに使える韓国語会話	すぐに使えるタイ語会話
978-4-89689-438-7 定価 2,000 円 + 税	978-4-89689-436-3 定価 1,800 円 + 税	978-4-89689-441-7 定価 2,000 円 + 税
すぐに使えるフランス語会話	すぐに使えるイタリア語会話	すぐに使えるスペイン語会話
978-4-89689-428-8 定価 1,800 円 + 税	978-4-89689-429-5 定価 1,800 円 + 税	978-4-89689-442-4 定価 1,800 円 + 税

超図解 話すための
英文の作り方１００
ISBN 978-4-89689-499-8　定価 1,600 円 + 税

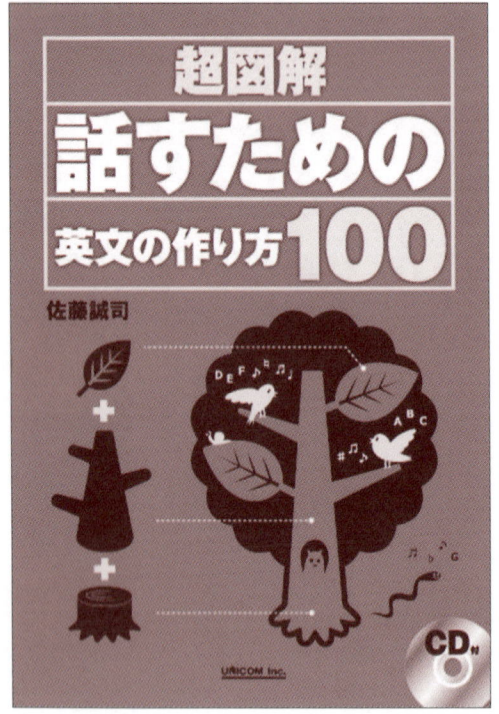

　日本人は普段から英語に接していて、英語との距離が身近です。では、身近とは何なんでしょうか。それは、一度は学校で英語の勉強をしてきて、自然に英語の仕組みというか、いわゆる文法といった「ことばの法則」みたいなものが、多少なりとも脳に刻み込まれているからではないでしょうか。とすると、逆に英語の仕組みを踏まえた上で、英語の発想で日本語を作る仕組みがあれば、効率よく英語の学習ができるはずです。

　その仕組みというのが、本書が着目した樹のチャートです。このチャートの特徴は、英文を根（基礎部分）→幹（基幹部分）→葉（修飾部分）と大樹に見立てチャート化し、図解で文の仕組みをわかるようにしたものです。